JN114894

詩記列伝序説

室井光広
Muroi Mitsuhiro

双子のライオン堂

人間の歴史のなかには、一見、人間の退歩であるようにわれわれには思われる現象がある。そうした現象は、それ自体としては、また単独に見れば、たしかに退歩かもしれなかったが、しかし、それらに伴なう他のいろいろな事情との関連においては、そしてあらゆる時代とのさらに間接的な関係においては、もっとも見紛いようのない仕方で、人類の進歩を証明していたのである。

（中略）したがって、詩芸術の退歩を嘆く必要はまったくなく、むしろわれわれは、それが幸福な結果に終わることを祈るべきである。（中略）

詩（ポエジー）の輝きと影響力の消滅を認め、それを決して不幸とは見なさないこと、これは詩のもつ独自の価値を見誤ることでは全然ない。

（『ベンヤミン・コレクション2』「カール・グスタフ・ヨッホマン「詩の退歩」への序論」久保哲司訳）

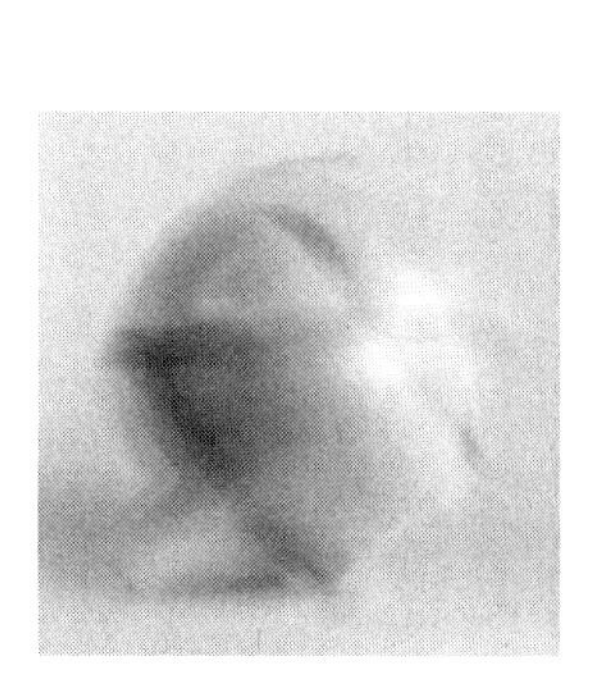

詩記列伝序説　目次

II

III

装丁　高林昭太
校正　尾澤　孝

詩記列伝序説

室井光広

〈読者教〉信者のひとりごと——序に代えて

フィクションの本質を構成する「詩的なるもの」をめぐる講義『詩という仕事について』（鼓直訳、岩波文庫）の中で、ボルヘスはこんなふうに語っている。
「私は自分を、本質的に読者であると考えています。皆さんもご存知のとおり、私は無謀にも物を書くようになりました。しかし、自分が読んだものの方が自分で書いたものよりも遥かに重要であると信じています。人は、読みたいと思うものを読めるけれども、望むものを書けるわけではなく、書けるものしか書けないからです」

およそ半世紀前、一九六七—六八年になされたハーヴァード大学ノートン詩学講義の記録の6「詩人の信条」から引いたが、少し先では、「読者の悦びは作者のそれより大きいと思います。読者はいかなる苦しみも不安も感じる理由がない。悦びを求めるだけなのですから。そしてその悦びは、あなたが読者であれば、頻繁に得られるのです」とも語られる。

およそ三十年前、私はこの詩的言語の魔術師の説く非在の宗教〈読者教〉に入信したあげく、「無謀にも」その稚拙な広報文のようなものをしたためて著作家の末席を汚すことになった。教祖のいう通り、「自分が読んだものの方が自分で書いたものよりも遥かに重要である」との信心は、実存のリセットの時期、とされる還暦をすぎた今も、ますます深まるばかりという他ない。

もちろん「読者であれば、頻繁に得られる」悦びはさておき、「書けるものしか書けない」という非情な現実のありようが、教祖と一信者とではまるで異なるのだけれど、ここではあえてそれに目をつむることにする。

教祖の託宣には、世界文学の中核に潜むブリリアントな逆説が横たわっている。〈読者教〉の信者には原則誰でもなれるはずだが、しいて一つ資格をあげるならこの逆説へのしなやかな感受性のアンテナであるように思われる。

われわれ信者が「読みたいと思う」世界文学の「本質を構成する『詩的なるもの』」の何たるかについてはボルヘスの講義録にまかせることにし、折にふれて口遊んで久しい彼の詩集『闇を讃えて』（斎藤幸男訳、水声社）から、ほんのひとくさり、本稿にお誂え向きとおぼしきものを引いてみる。この詩集は、先のハーヴァード連続講義にほぼ重なる時期に書かれた作品だそうである。

「ある読者」というタイトルの詩篇のはじまりはこうだ。

認めたページの自慢は余人に任せよう。
読んできた書物こそわたしは誇りたい。

この詩篇で「ある読者」が「誇りたい」という読みの対象は、どうやらウェルギリウス（のラテン語）のようだ。「わたし」は、「言語学者だったこともなく」とつづく詩は、「長い年月をかけ言葉への情熱を守り育んできた」教祖の読みの情熱の逆説性を伝えてくれる。ウェルギリウスの言語に満ちた「わたし」の夜において、「ラテン語を会得するも忘れ去るも」同じことだ、といわんばかりの詩篇に刻まれる「忘却は記憶のひとつの姿」という一行は、読む者に静かな衝撃を与えずにはおかないだろう。「わたし」は、こうもつけ加える――「若者なら本を前にして規則を厳しく定め、確かな知識を得ようと励むだろう。年老いたわたしには企てはすべて夜と境を接する冒険なのだ」。

自称不肖の弟子は、教祖が語った「冒険」を信じ、深く帰依する。

『詩という仕事について』には、われわれ〈読者教〉信者にとって最も重要な「悦び」を与えてくれる読みの批判をめぐる「冒険」の書――『ドン・キホーテ』への言及がある。教祖は語る――「実は私は、ドン・キホーテの冒険をあまり信じておりません」と。「誇張が度を越していると考える」からだが、急いでこう語りつぐ。

「しかし、こういうことは実はどうでもよろしい。本当に大事なことは、私がドン・キホーテの存在そのものを信じているという事実です」「こういうことは絶対に起こらない、と誰かに言われても、私はあくまでドン・キホーテを信じ続けるでしょう。友人の性格を信じるのと同じことです」(5「思考と詩」)

世界文学において〈読者教〉の逆説的真実を究極のフィクションの姿で提示しえた『ドン・キホーテ』を、私はこれまで三度通読し、そのたびに名状しがたい「読者の悦び」を味わったのだけれど、友人の性格を信じるのと同じようにドン・キホーテの存在そのものを信じているという教祖の言葉を追体験しようと、先頃、思いも新たに、岩波文庫版(牛島信明訳)前篇㈠をひらいたところ、愉快ないたずらといっていいのかどうかもわからない事実に出くわした。あの味わい深い序文の前にある「ベハル公爵に捧げる献辞」を今次はじめてちゃんと一読した次第だが、やはりこれまで読まずに済ませていた巻末訳注に、次のように書かれているではないか。

「この献辞はそっくりそのまま、フェルナンド・デ・エレーラがその著『ガルシラーソの詩の注釈』(一五八〇年)で、アヤモンテ侯爵に捧げた献辞のひき写しである。世界文学史上もっとも独創的な小説の最初のページが剽窃であるのは興味深い」

作品本体ではないとはいうものの、セルバンテスがしたためた「最初のページ」の前で、小心者の読者はしばし考え込んでしまった。大胆にもオリジナリティなるものを時代錯誤の神話とすらみなし、ひたすら読者の役割を強調してやまぬ教祖——転写をめぐる奇想おどろくべき一篇「『ドン・キホーテ』の著者、ピエール・メナール」の著者ボルヘスに、この「ひき写し」についての感想を訊いたとしたら、と信者は想像してみる。そんなことは「どうでもよろしい」という答えがかえってくるだけであろうか。

I

天のように母のように
——ある著作のための序

『易経』や『史記』のような古い漢語が並ぶ原典を、意味もわからぬままただ眺めるという習癖が、当方には若年の頃からある。畏敬する欧文テキストに対しても似たふるまいをして久しいが、両者にはやはり微妙な差異が横たわっているようだ。

後者の場合、外国語として音声をひと通り学べば、意味不明のままでも音読という原始的なよろこびは味わえる。前者の場合、「読書百遍意義おのずから通ず」の体験を味わった無数の先人を真似られもせず、また初級学習者の現代中国音で音読する行為にもぞっとしない当方には、いわゆる読み下しの能力がないので、文字通り読むことができないけれど、象形文字である漢語は欧文とは違う独特の存在感をもって、ただ眺める者にも何事かの伝達をとりおこなっている気がする。

もちろん学者・研究者の注釈によりすがって学びを深くする方途はあるが、私は、昔も今も、その深化のための努力を怠ったまま、あたかも絵をみるような仕方で古い漢語が刻まれたテキストに魅入る振舞をくり返している。

さて以下は二つの古漢語をめぐる中学生レベルの誤読の話である。

二つの漢語とは、「无」と「毋」――ともに字形はシンプルだが、われわれが学校で習うことのないものである。ともに「無」に相当するこの字をそれぞれ外形が似ていることから「天」と「母」のように私は受けとったのだった。

後に中身を少し学習するに及んで、もちろん蒙はひらいたのだけれど、特に『易経』などに多用される「……すること无し」の否定形をあらわす代表的な文字が、当方の中で「天」と「母」の二字とごっちゃになって刻印されることになった。

「……する无［毋］かれ」という禁止形にもなるこれとは別に、もちろん今日的なニュアンスと変らぬ「天」と「母」はもっとも早い時期からの漢語典籍に登場する文字である。

天のように母のように……と私は独語した。あたかもそう唱えつづければ、天のような母のようなダイモニオンふうの存在が、われわれを、いやこの私の前に立ちはだかり、「……する无［毋］かれ」と、あらゆる種類の愚行・非行をおしとどめてくれる、とでもいうように。

滑稽を承知で書けば、私はあのソクラテスにとりついたダイモニオンを連想していた。

「それは子供の時以来私につきまとい、ある種の音声として生じるのですが、それが生じる時にはいつでも、それが何であれ、私がまさに行おうとしていることを私に止めさせようとする

のです。それに対して、けっして何かをするように促しはしないのです」（『ソクラテスの弁明』三嶋輝夫訳）

ソクラテスにとりついていた「一種の声」は、それが何であれ自分がこれからしようとすることを「しないようにいつも気を変わらせるが、するように勧めることはない」……と、別の翻訳（山本光雄訳）も参照してみた。

ソクラテスの、そしてプラトンの意図からは外れてしまうだろうが、私はこの高名なひとくだりから、H・メルヴィルの描いた代書人バートルビーのキワメツキのセリフ——できればせずに済めばありがたいのですが（I would prefer not to.）を思い起こさぬわけにはいかなかった。しかし、ここでそのことに深入りするのはさしひかえ、漢語の受取り直しの話にもどる。

バートルビーのセリフを愛惜していた当方が、結局、才も無いのに深入りしてしまったのがヨミカキの世界だった。これればかりは、「無しで済ます」ことができなかったのである。

無けなしの才をしぼる無理がたたる日がやってきたのはいうまでもないが、ここで最後にふれたいのはそのこと自体ではない。

「无」「毋」の相当語が「無」であるが、現代人乱用気味のこの語を、白川静『字統』であらためて引き、私はひどく驚いてしまった。

その一節を端折って引けばこうである。

「無」はもと象形の字で、舞う人の形。舞の初文である。のち無に両足を外に向かって開く形である舛をつけた舞が舞楽の字となり、無は専ら有無の無の意、否定詞に用いる。……卜文・金文の字形は極めて簡明に、袖に呪飾をつけて舞う人の形であることを示す。……無は亡(亡)・蔑・母と声近く通用するが、声の仮借によるものであって、無の字には本来有無の無の義はない。……

少々専門的な記述ではあるものの、無の字に、本来、有りや無しやの「無」の意味はなかったというくだりに、私は驚かされた。

「無」が、ヨミカキの始源にある芸能――において決定的な役割を果したと思われる舞う人の形であったとは。われわれが今日知る「舞」が、「袖に呪飾をつけて舞う人」をあらわす「無」に、両足を外に向かって開く形である舛をあとからつけて出来た字――つまり、「無」が「舞」のもとの字であったとは。

こんなことも知らず年老いてしまった無学ぶりを今さら嘆いてもはじまらない。つい先頃、私は、まったく新しい心持ちで、「天のように、母のように」を口遊みながら、シェイクスピアの『リア王』をひらいた。そのオープニングに顔を出す Nothing ――全幕を通して種々の劇的文脈で、こだまのように繰り返されるこの一語に注目したあげく、シェイクスピアの「無から無が生れる」壮大なドラマを、「無から舞が生れる」などとあえて浅はかにヨミかえてみたくなったのだった。

ピエール・メナールとその先駆者たち

かつてわたしは表現を追求した。いまは神々が
わたしに引用と言及しか授けてくれないことを知っている。
――J・L・ボルヘス

記憶に残っているものが記憶に値するものであるかどうかは別として、折にふれて想いおこされる忘れがたいエピソードがいくつかある。もちろん、以下でとり扱うのは当方自身の貧しい実存にまつわるものではなく、読みの世界劇場ともいうべき幻の舞台で見聞きした〝歴史〟劇に由来する多くは断片・断章ふうのものに限られる。

極私的な読みの世界劇場における〝歴史〟劇は、詩的言語によって演じられることが多い。

遠い昔、哲学者アリストテレスは『詩学』(松本仁助・岡道男訳、岩波文庫)の中で、「詩人(作者)の仕事は、すでに起こったことを語ることではなく、起こりうることを、すなわち、ありそうな仕方で、あるいは必然的な仕方で起こる可能性のあることを、語ることである。……したがって、詩作は歴史にくらべてより哲学的であり、より深い意義をもつものである」と書いた。

当方が刺激的だと感じるスペシャルな世界文学史劇＝詩劇も、「すでに起こったこと」ではなく「起こる可能性のあること」を「歴史にくらべてより哲学的に」語るふうの断片・断章が選ばれるだろう。

アリストテレスの著書に親しんだ経験をもたぬ者としては、同じ紀元前になされたわが東洋の真に驚くべき根源的詩人の仕事——はるかに後代のダンテ『神聖喜劇』やバルザックの〈人間喜劇〉に優るとも劣らぬ司馬遷『史記』を名前だけでも急いで対置しておきたい。あの紫式部が熱読し、その描出法を深く学んでわがものとした『史記』こそは、編撰者自身が「作」（＝創作）ではないと明言しているにもかかわらず、歴史に材をとりながら歴史を超脱する「歴史にくらべてより哲学的」な、ポエジー＝文学の原点を照射する巨篇だと断言したい心持ちを抑えられないのである。

しかしこの〈序説〉で、〝神聖人間喜劇〟ともいうべき『史記』にあらわになっている世界劇場性をめぐって詳述するのは難しい。たしかドリトル先生の言い草に、「古代貝語は難しい。だから私はとりあえず金魚語からはじめる」というのがあったけれど、われわれの史記ならぬ〈詩記列伝〉もとりあえず、同時代に近いところ、しかも最も親愛感を抱くものからはじめようと思う。

自分が読んだものの方が自分で書いたものよりも遥かに重要であると信じる（『詩という仕事に

ついて』）と語ったのは、当方が〈読者教〉教祖と勝手に呼んでいるボルヘスだが、その教祖がでっちあげた作家・批評家ピエール・メナールの――〈『ドン・キホーテ』の著者〉としての作品の引用に付された奇想おどろくべき解説が、幻の舞台に真っ先におどり出てくるのは、ちょうど三十年前にでっちあげた著作家デビュー作のボルヘス論の中で当方が、そのドン・キホーテ的におどろくべき個所を再引用して凡庸な解説を加えたことがあるからだろう。

本稿を著作家デビュー三十年とやらをことほぐためにつづる、とでもいいたいところだが、内実は、著作家以前から愛読していた思想詩人キルケゴールの『反復』（桝田啓三郎訳、岩波文庫）の次のようなひとくだりを念頭に置いての――若返りのための痛切な試みであるのを隠そうとは思わない――「人生は反復であり、そして反復こそ人生の美しさであることを理解しないものは、手ずから自分に判決をくだしたも同然で、所詮まぬがれられぬ運命、つまり自滅するほかあるまい。思うに、期待はひとをさしまねく果実ではあるが、腹の足しにはならぬ。追憶はまことに乏しい糊口の資で、これまた腹を満たすには足りない。ところが反復は日々のパンである、それは祝福をもって満腹させてくれる」。

当方がやはり若年時に魂をとらえられた生粋の詩人ボードレールは、詩を「最も利をもたらすこと多い芸術」と定義したが、すぐに、ただしそれは、「後になってから利息が入ってくるような投資の一種」とつけ加えた。出典が思い出せないが、彼はさらに有名な殺し文句をいい放った。「諸君はパンなしに三日間生きることができる。――詩なしには、決して」と。

この反俗的殺し文句と、キルケゴールのいう「日々のパン」としての反復はたぶんつながっているはずであるが、今はボードレールを置き去りにせざるをえない。

キルケゴールが操る偽名著者コンスタンティン・コンスタンティウスが提示する反復なる概念を当時も今もよく理解しえているわけでもないのに、なぜ、まだ若かった頃の当方が夢と現実のあわいに浮び上る「迷宮」を描くボルヘスのフィクシオネス（伝奇集）の中でも、特に『ドン・キホーテ』の著者、ピエール・メナール」の一篇を、腹を満たす「日々のパン」としての反復読みの対象とするに至ったのか……。

ここには〈読者教〉の何たるかをめぐるたぶんに極私的な事情が横たわっている。それをみとめたうえで、「期待するには若さが要る、追憶するには若さが要る、しかし、反復を欲するには勇気が要る」とコンスタンティン・コンスタンティウスのいうその勇気をふるいおこし、「着古されることのない着物」とされる凡愚版の反復＝受取り直しのいとなみに従事してみたい。

私は〈読者教〉の信者の一人として、できれば、金魚語のように難しいボルヘスの短篇の全容を語り尽した文が「すでに存在すると見せかけて」その断片のみを任意に差し出したいのだけれど、教祖の自在なやり方を真似るのはとうてい無理だろう。

ピエール・メナールが現代の『ドン・キホーテ』を書くためにその生涯をささげたなどという徒輩は、いまは亡き彼の名をおとしめようとするものだ、とボルヘスの話者はいう。メナールはべつの『ドン・キホーテ』を書くこと――これは容易である――を願わず、『ドン・キホーテ』そのものを書こうとした。いうまでもないが、彼は原本の機械的な転写を意図したのではなかった。それを引き写そうとは思わなかった。彼の素晴らしい野心は、ミゲル・デ＝セルバンテスのそれと——単語と単語が、行と行が——一致するようなページを産みだすことだった。そう書いた後、話者は自分にあてられたメナールの手紙を引用する。そのひとくさりを端折って引けばこうだ。

……わたしのかかえる問題がセルバンテスのそれよりはるかに困難なものであることは、議論の余地がありません。わたしの寛容な先駆者は偶然の協力を拒否しませんでした。つまり、彼は少々**ぞんざいに**(ア・ラ・ディアブル)、ことばと想像力の惰性に身をゆだねながら不朽の名作を書いていきました。わたしは、彼の自然発生的な作品を逐語的に再現するという、奇妙な義務をみずから引き受けたのです。……十七世紀に『ドン・キホーテ』を書くことは、道理のある、必然的な、おそらく宿命的な仕事でした。二十世紀の初めでは、それはおよそ不可能なことです。……

これらの障害にもかかわらず、ボルヘスの話者は、メナールの断片的な『ドン・キホーテ』がセルバンテスのそれ以上に精緻であるといいはなち、いくつかの章を取りあげて考えるとき「われわれはやはり驚かされる」などと書いてわれわれを驚かせる。

セルバンテスのテクストとメナールのテクストは文字どおり同一であるが、しかし後者のほうが、ほとんど無限に豊かである（彼を非難する者は、より曖昧だと評するかもしれないが、曖昧性は豊かさというものである）。

メナールの『ドン・キホーテ』とセルバンテスのそれとの比較は教えるところが多い。たとえば、セルバンテスは次のように書いている（『ドン・キホーテ』第一部第九章）。

……真実、その母は歴史、すなわち時間の好敵手、行為の保管所、過去の証人、現在の規範と忠告、未来への警告。

十七世紀に、「無学の天才」セルバンテスによって書かれたこの列挙的な文章は、歴史への単なる修辞的な讃辞でしかない。ところが、メナールはこう書く。

……真実、その母は歴史、すなわち時間の好敵手、行為の保管所、過去の証人、現在の規範と忠告、未来への警告。

歴史、真実の**母**。この考えは驚嘆に値する。ウィリアム・ジェイムズの同時代人であるメナールは歴史を、真実の探求ではなく、その源泉と規定する。歴史的真実は彼にとって、かつて起こったことではない、かつて起こったとわれわれが判断するところのものだ。

（『伝奇集』鼓直訳、岩波文庫）

およそ三十年ぶりに、奇想おどろくべき個所を引き写してみたが、当方の矮小な極私的事情はよみがえってきたものの、凡愚の手では「原本の機械的な転写」にしかならず、キルケゴールの話者がいう「反復などはまったく存在しないということを発見した」だけである。

当方の極私的事情にまつわる気分と状況は、自伝風エッセイ『ボルヘスとわたし』（牛島信明訳、ちくま文庫）で教祖が語っている出来事とつながる。その内容（何を）ではなく、出来事を「いかに」受けとめたかについてのつながりにすぎないが。

一九三八年――ボルヘスの父が死んだ年――のクリスマスイブにそれは起こった。自宅のフラットの一室に向って階段を駆けのぼる途中、内側に開くようになっていた窓に目の悪いボルヘスは激突してしまった。窓はこなごなに割れ、ガラスの破片が頭の中に入るこの事故でしばらく眠ることもできず横たわっていた。傷口に入った菌のせいで、高熱を発し、幻覚を見たという。ついに言語能力を失ってしまい病院にかつぎこまれ、敗血症の診断をうけ、およそ一カ月間、生死の境をさまよった、とボルヘスは語っている。回復には数週間を要したそうだが、その間にドン・キホーテになってしまったのではないか（とはいっていないが）、つまり自分の正気を疑うようになったボルヘスは、「ものを書くことができるかという不安にかられた」。起死回生の思いの末に書かれたのがメナールをめぐる短篇だった。不肖の弟子も三十年余り前、起死回生を念じ、新しい技術を通して読書法を豊かなものにしたメナールの仕事の中に究極の〈読者教〉の姿を見定めようとボルヘス論を書いたのだけれど、作品にあらわになってはいない、時代の危機に対する教祖独自の実存的処方をめぐる実相について当時よくは想像できなかったと思う。

ジェイムズ・ウッダル著『ボルヘス伝』(平野幸彦訳、白水社)によれば、ヨーロッパが戦争に向かっていたとき、ボルヘスの故国アルゼンチンは、一九三〇年代後半にファシズムの気運が高まり、一九四三年、陸軍が完全に政治的支配権を掌握した。一九三九年にスペインで勝利を収めたフランコは賞賛の的となり、ヒトラーやムッソリーニも、幻滅に苛まれていたアルゼンチン人の目に「どこか魅力的に映るところがあった」というが、ボルヘスは早くも一九三七年に「スル」誌上で、ファシズムがドイツにとっていかに百害あって一利なしかを指摘した。祖霊の国であるドイツ文化に精通していたボルヘスは、「ドイツ文明なしで世界がやっていけるものかどうか、わたしにはわからない。嘆かわしいことに、憎しみを教えることによって、それは堕落の一途をたどりつつある」と記し、当時のドイツの学校教科書に見られる人種差別を批判した。さらに一九三九年十月に出た「スル」誌特別号で、戦争に反対し、ヒトラーとナチスをあからさまに非難し、「もし[ドイツが]勝てば、世界は破滅、堕落してしまうことは論をまたない」と断じた。

こうした緊迫した時代状況の真っ只中で、時代を超越するメナールの物語が生み出されたことにあらためて衝撃を覚えないわけにはいかないのであるが、本稿のテーマ——読みの世界劇場ともいうべき幻の舞台で見聞きした〝歴史〟劇に由来する云々と冒頭に書いたこと——にもどらねばならない。


類まれな読者ボルヘスが、その読者であることの位相を手離さずに創作した二つの最も独創的かつ魅力的な物語『『ドン・キホーテ』の著者、ピエール・メナール」（一九三九年五月）と「トレーン、ウクバール、オルビス・テルティウス」（一九四〇年五月）——当方が観客となって久しい読みの世界劇場で演じられるこの典型的な〝歴史〟劇を思う時、たとえばもう一人の類まれな読者——二十世紀前半におけるドイツ最大の文芸批評家W・ベンヤミンが、メナールの〝先駆者〟ともいうべき〝トレーン人〟（とは何か、ここではふれることができないが）として姿をあらわす、といえばいささか奇妙にひびくであろうか。

ボルヘスの国境や時代を超出する二つの短篇が世に出た頃、世界劇場における真の〝歴史〟劇の秀抜な読み手ベンヤミンは、時代の病弊が強いる国境の難所であえぎ苦しんでいた。一九四〇年九月末、ナチスの進駐以後パニック状態に陥ったフランス国内を逃げ回ったあげく、国境沿いにあるスペインの小さな街で服毒自殺をとげるに至るベンヤミンが、仮にボルヘスの短篇を読みえたとして批評的に寄り添うことは不可能だったと思われる。

二十世紀後半に主要作品が出版され、死後大いなる栄光に包まれたベンヤミンの、二十世紀の最も美しい散文に数えられる珠玉の作品についてボルヘスが言及しているかどうか当方にはよくわからないが、少なくとも、メナールという文学における脱構築の元祖を創り上げた時点でベンヤミンのことなど知るよしもなかったろう。

> 「先駆者」ということばは批評の語彙に不可欠であるが、そのことばに含まれている影響関係の論争とか優劣の拮抗といった不純な意味は除去されねばならぬ。ありようを言えば、おのおのの作家は自らの先駆者を創り出すのである。彼の作品は、未来を修正すると同じく、われわれの過去の観念をも修正するのだ。この相関関係においては、人間の同一性とか複数性は全く問題にならない。『観察』を書いた初期のカフカは、ブラウニングやダンセイニ卿ほどには、陰鬱な神話と残酷な制度の作家であるカフカの先駆者ではない。
> （ボルヘス「カフカとその先駆者たち」『続審問』中村健二訳、岩波文庫）

文庫版で五頁にも満たないエッセイの最後の一節を写した。〈読者教〉の信者になれば、誰でもこうした読みの洗練と変更を伴う発見に遭遇できるという保証はないけれど、「あの不死鳥のように、類例を見ない独自の存在だと思っていた」カフカと「少しばかりつきあっているうちに、様ざまな文学、様ざまな時代のテクストのなかに、彼の声、彼の癖を認めるような気がした」と語られる教祖の体験を共有する悦びは格別のものだ。その体験こそ、われわれの序説が曖昧に言揚げした〈読者教〉の真髄である。『続審問』の巻頭エッセイ「城壁と書物」の最終行をかりるなら、その体験を通じて、教祖は、「われわれが見落してはならなかった何かをすでに語り、あるいは何かをまさに語ろうとしている。いまだ生みだされないこの啓示の緊迫性こそ、美的事実というものであろう」といっている。

批評の語彙に不可欠の「先駆者」の典型的なサンプルなら、メナールの物語の中に——エドモンド・テストを産んだヴァレリー、その彼を産んだマラルメ、その彼を産んだボードレール、その彼を産んだポーをとりわけ熱愛する者の場合……とある通りで、当方などもこの熱愛者の一人に数えられる。

だが、世界劇場論といいかえてもよいわれわれの詩記列伝がもどいて寄り添うのは、教祖の「啓示の緊迫性」に重なる「美的事実」のほうである。「伝」という漢語本来の意味は biography であるよりはむしろ legend ——広義の伝承だそうだ。様々なジャンル、時代と資質を異にする作家（の中にはメナールのような登場人物も含まれる）が、われわれのイメージする読みの世界劇場で交わり合う詩的レジェンドを目撃することで、メナールの物語にいう「故意のアナクロニズムと作者の曖昧な想定にもとづく」新しい読書法をものにできると信じつつ寄り添ってみようというのだ。

「わたしの間違いでなければ、わたしが列挙した異質のテクストは、どれもカフカの作品に似ている。わたしの間違いでなければ、テクストどうしは必ずしも似ていない。この最後の事実はきわめて重要である。程度の違いこそあれ、カフカの特徴はこれらすべての著作に歴然と現われているが、カフカが作品を書いていなかったら、われわれはその事実に気づかないだろう。すなわち、この事実は存在しないことになる」（「カフカとその先駆者たち」）

当方の間違いでなければ、われわれの序説がすでに掲げた「異質のテクスト」――キルケゴールの偽名著者による『反復』中の少なくともいくつかの断片、ベンヤミンの未完の仕事の断片――は、どちらもメナールの作品に似ている。当方の間違いでなければ、テクストどうしは必ずしも似ていない。……

ボルヘスが描いたもう一つの短篇の「トレーン」国は、メナールの物語ふうにいえば、読みの革新によってのみ見定められる〈素晴らしい新世界〉であるが、本稿の読みの世界劇場もそこに位置している。そこでは個人のオリジナリティは否定され、文学作品も個々の作家のそれではなく、単一永遠の主体の制作物だとされる。この主体は、われわれの詩記列伝あるいは世界劇場論の著者にもなりえよう。

メナールが書き続けた『ドン・キホーテ』は、ごく一部の断片をのぞいて破棄されたが、その現存する断片的な作品は、パリンプセスト＝「重ね書きの羊皮紙」と見るのが正しい、と話者はいう。メナールの「前の」筆跡――かすかであるが解読できないことはない――が透けて見える……「第二のピエール・メナールだけが、先行者の作業を逆に行なうことによって、このいわばトロイを発掘し、蘇らせることが可能なのだろう」。そう、「第二のピエール・メナール」の姿を、本稿は、『反復』の著者コンスタンティン・コンスタンティウスや、完全に引用文だけから成る作品を夢見て、すぐれて錬金術師的な作業に没頭していたベンヤミンの中に見出すのである。

ピエール・メナールとコンスタンティン・コンスタンティウスとヴァルター・ベンヤミン――三者の「テクストどうしは必ずしも似ていない」が、腹をみたす「日々のパン」としての〈反復〉と〈引用〉に込められた後者二人の錬金術師的かつドン・キホーテ的な見果てぬ夢は、それぞれ「程度の違いこそあれ」メナールの「特徴」をもつものといえる。その詳細にふれることを教祖流に省略したまま、こういっておきたい。彼らは「歴史を、真実の探求ではなく、その源泉」ととらえ、歴史的真実を「かつて起こったこと」ではなく、「かつて起こったとわれわれが判断するところのもの」とみなす。彼らは、冒頭でふれたアリストテレスのいう「詩人の仕事」をおこなったのである。

〈混在郷〉にて

　およそ三十年ほど前、当方が著作家の末席を汚すことを許される機縁となったボルヘス試論「零の力」の出生地の一つに思いを馳せる時、それより八年ほど前に書くことを余儀なくされたミシェル・フーコーを対象とする大学の卒業論文が浮上してくる。「何を」書いたかは忘れてしまったが、重厚長大なフーコーの著作の代表的な一冊『言葉と物──人文科学の考古学』（渡辺一民・佐々木明訳、新潮社）のブリリアントな「序」の書き出し──「この書物の出生地はボルヘスのあるテクストのなかにある。それを読みすすみながら催した笑い、思考におなじみなあらゆる事柄を揺さぶらずにはおかぬ、あの笑いのなかにだ……」──は鮮烈に記憶の中に刻まれた。難渋しながら稚拙な卒論をでっちあげる間、偉大な哲学者同様の「あの笑い」を催すことは一度もなかったけれど、フーコーの「序」をボルヘス流の《序文コレクション》の一つに数え入れはしたのである。

「ボルヘスのあるテクスト」がどういうものかについて、ここではあえてふれないですすむ。それは長いこと哲学者を笑わせたが、「同時に、打ちかちがたい、まぎれもない当惑を覚えさせずにはおかなかった」とある。テクストをたどりながら「ひどい混乱があるのではないか」という疑惑が生れたからだが、急いで哲学者はいいかえている。「それは、おびただしい可能な秩序の諸断片を、法則も幾何学もない《混在的なもの（エテロクリット）》の次元で、きらめかせる混乱とでも言おうか」と。この場合のエテロクリットなる語は、語源にもっとも近い意味で理解されねばならない。

つまり、そこで物は、じつに多様な座に「よこたえられ」「おかれ」「配置され」ているので、それらの物を収容しうるひとつの空間を見いだすことも、物それぞれのしたにある《共通の場所》を規定することも、ひとしく不可能だという意味である。《非在郷（ユートピー）》というものは人を慰めてくれる。つまり、それは実在の場所をもたぬとしても、ともかくも不思議な均質の空間に開花するからである。たとえそれに近づいていくということが幻想にすぎぬとしても、それは、ひろびろとした並木路のある街、植込みのある庭園、安楽な国々をひらいてくれる。だが《混在郷（エテロトピー）》は不安をあたえずにはおかない。

現代思想はおろかフランス語にからきし通じていないので、このエテロトピーがフーコーの造語の類なのかどうか審らかにできないが、フーコーは、「ことばを枯渇させ、語を語のうえにとどまらせ、文法のいかなる可能性にたいしても根源から異議を申し立て……神話を解体し、文の抒情を不毛のものとする」エテロトピーをめぐり、カッコ書きで（しばしばボルヘスにみられるように）とつけ加えている。

「しばしば」というひかえめな一語のニュアンスは、本稿にとって重要である。私は、卒論に苦しんだ若年時も、そして現在も、晩年はともかく、壮年期のフーコーが拠って立つ構造主義的思考に対し、先の「序」のいう種類とは別次元の不安を拭い去れたためしがない。そのことを今は隠すまいと思う。

『言葉と物』が、現代の知の不安の意識とされる構造主義とほんとうはどんな関わりをもっているのかについてのべるのも、むろん当方の手に余る。ルネッサンス以来の西欧精神史を精密に分析批判し、人間諸科学の冒険的試みを統合して画期的な認識論をうちたてた革命的思想書をノートをとりながら読み、近代ヨーロッパを中心に構築された「人間中心主義思想」の死滅を告げる革命性を体感しえた記憶はたしかである。

しかし、知的にナイーブな学生が卒論を書く間も、ずっと抱いていた不安は、革命的思想書が葬り去った前時代の西欧周縁に出生地をもつ思想家キルケゴールの『不安の概念』の終章に書かれたものに近かった。ぞっとする味を知りたいと思って冒険の旅に出てゆく若者をめぐるグリム童話のエピソードを引いたキルケゴールの偽名著者は、正しく不安を学ぶというのは最高のものを学ぶことだと語る。

学生時代に知りえたわけではないが、ベンヤミンがカフカ論の中で、怖がることを学びに世の中に出ていったおとぎ話の若者にカフカが似ていると書いた事実と並べ、学生時代に半分くらいしか共感できなかった『言葉と物』序の最終部をあらためてつき合わせてみたのだった。「このような西欧文化の大きな断層をふたたびあきらかにしようとこころみることによって、われわれは黙りこくったままおとなしく身動きひとつしない大地に、分裂、脆さ、亀裂といったものを回復させてやろうというわけだ。大地は、われわれの足もとで、ふたたび不安に打ちふるえているのである」

数年前、たまたまこの序を読み返した時、本書の著者が生きる西欧文化と異質のわれわれの大地は千年に一度の規模の災禍によって「大きな断層」をみせ、方々で無残な傷口をひらいた。人間の思想が「分裂、脆さ、亀裂といったものを回復させてやろう」とたくらむまでもなく列島の大地はわれわれの「足もと」を烈しく揺さぶった。小心者は、革命的思想書にあらわな〝人間の終焉〟宣言に対する無力感と裏合わせの不信感をかみしめないわけにはいかなかった。ジャーナリズムやアカデミズムにもてはやされることで人々の耳目をひく「新しい」思想潮流に対する根源的な不安を「回復」せねばならない必要に迫られたといいかえてもいいかもしれない。

そこで再び、冒頭でふれたフーコー的一語〈混在郷〉にもどり、詩的なるものを順不同の仕方で列ね伝えるわれわれ流の列伝のテーマに即して反復＝受取り直しをおこなう。もちろん学術的真理探究のためではなく、すこぶる極私的な意味での反復——すなわち当方自身の精神の若返りをはからんがためにである。

この若返りの泉を探す際に口遊んで久しいベケット『勝負の終わり』中の誰やらのセリフ——〈古い問題が好きだ。（熱をこめて）ああ、古い問題に、古い答え、それがいちばんだ！〉も忘れないようにしよう。

〝およそ三十年ほど前、当方が著作家の末席を汚すことを許された〟とはじめに書いたが、この時点で私には、「古い問題に、古い答え」に基づく見果てぬ夢があった。

存命中に世界的な名声につつまれたボルヘスへの敬愛の念に偽りはなかったものの、アドレッセンス後葉の私が公的な著作活動家の理想として想い描いていたのは、キルケゴールとカフカに代表される典型的な非商業系（を実存的に〈選択〉した）著作家なのだった。

あらゆる著作物が本質的に公的（にひらかれた存在）である以上、商業系か非商業系かなどにかかずらうのは少なくとも時代思潮として新しくない。「古い問題に、古い答え」といえるものかどうかもわからないけれど、むなしく年をとってしまった今、私は、ドイツの旧いことわざとしてベンヤミンがどこやらで紹介した〈少年の日の夢は、老年に至って豊かに満たされる〉を想い起し、自分の若年の日の夢はどれくらいみたされたかと問わずにはいられない。

もちろん天才たちの仕事の中身（「何を」）を凡愚が真似るのは滑稽の限りであることくらい

私とてわきまえている。私がせいぜいこだわって死にたいと今もなお思っているのは、著作活動のありよう（「いかに」）と不可分と信じる実存の態度、ある種のマナーである。

おまえはきりょうがわるいから、愛嬌だけでもよくなさい……これはたしか太宰治の作品に出てくる話者だったたかの幼少年時代に近親者からいわれた言葉のように記憶するが、才能の欠如はあげつらうまでもない当方は、著作活動のありように決定的な影を投げかけるこの実存的マナーだけでもよくしたいと念じつづけているのだ。

絶対少数者しか関心をもたないであろうこのマナーは、どうやって身につけるのか？という問題に、私はとりあえず答える——正しく不安を学びつづけることによって、と。この自問自答の後にも、私は反復的ウワゴト——〈ああ、古い問題に、古い答え、それが一番だ〉とつぶやくのである。

ボルヘスのあるテクストに見出した〈混在郷〉をめぐり、フーコーは、語源にもっとも近い意味に理解されねばならないと書いた。西欧語源学に疎い私はすでに引用した一節を、反芻する。その一語が多様な座に「よこたえられ」「おかれ」「配置され」ているので、それらを収容しうるひとつの空間を見いだすことも、それらのしたにある《共通の場所》を規定することもひとしく不可能……とある箇所のどれが語源に近いのかおぼつかないままでは、「おびただしい可能な秩序の諸断片をエテロクリットの次元できらめかせる混乱」というフーコー流の表現を誤読する危険を犯す可能性も高いだろうが、知の考古学の到達点は昔も今も当方にとって痛切なものではない、と居直ってすすむ。

当方もまたボルヘスのテキスト群に不安を与える〈混在郷〉のイメージをみてとったが、しかしそれは、フーコーのいうような「神話を解体し、文の抒情を不毛のものとする」一辺倒のものではありえない。当方もまたボルヘスのテキスト群に笑いを催されたが、それは、構造主義的思考が一切の「人間学」を憫笑するふうのものとは一線を画す。柳田国男ふうにいうなら、それは〈笑う側〉ではなく〈笑われる側〉に寄り添う種類の「古い」人間学と有縁のものだ。

それらはたとえば、「消費されるテクスト」を批判することで世界的な知の流行をまきおこし、結果的に大いなる消費の対象となった現代思想とは無縁の場所、前時代のヨーロッパ周縁の田舎臭い場所で、偽名著者によって書かれた、やはり当方が愛惜して久しい次のようなひとくさりのフレーズと気脈を通じているだろう。

「子供じみたものが精神の夢みる状態として保持されているすべての国民のもとには、こうした不安がある。この不安が深ければ深いほど、それだけその国民は深みをもつ。これを分裂症状だと考えるのは、散文的な愚かしさにすぎない」（キルケゴール『不安の概念』）

日本列島が「大きな断層」「分裂」「脆さ」「亀裂」をあらわにした〈3・11〉時、私は右の一節を、「ほかの書物を読むときのように目で読まないで……心臓の上にのせ……心の目で」（キルケゴール『反復』）読みながら、ある種の「膏薬のように」患部にはりつけたのだった。こうした言い方自体、『言葉と物』にいう「人間主義のすべての幻想」「人間学のあらゆる安易さ」

が生むものと一笑に附されるであろうことを十分承知していたが、しかしわれわれの眼前にあらわれたのは「黙りこくったままおとなしく身動きしない大地」ではないという「目前の出来事」に圧倒された小心者は、大地をして「ふたたび不安に打ちふるえ」させんと宣言する革命思想の側に立ちつづけることはとうてい不可能だと思いしったのである。「深み」をたたえる国民的不安に寄り添う柳田国男の「古い」テキスト群を「心の目で」読み返すようになったのも、希求してやまぬ「古い問題に、古い答え」が、石川啄木のつぶやきでいう「いや古くていよゝ新し」い形でつつましく提示されていたからだった。

昭和七年発表の『民謡覚書』の一節に柳田は書いていた――「『遠野物語』が世に出てから、今年はすでに二十三年目になる。あの時我々が発願した学問は、答としてはいくらも成長せずに、問としてはむしろ大いに痩せている。夢の理論の弁証が許さるる世であるならば、まぼろしの歴史を推究することも徒事ではあるまい」と。

あえて反復的物いいに終始するが、私はここにもまた「古い問題に、古い答え」のサンプルを見出す。

キルケゴールと柳田国男とを同じタブロー＝台の上にのせること自体、憫笑の対象になるにちがいあるまいが、実はフーコーの〈混在郷〉を、読みの世界劇場の一つとみなしてこの稿を書きはじめた。「語源にもっとも近い意味」にこだわったのもそのためだ。物が「じつに多様な座に」……とあるその「座」を、無理を承知で〈混在郷〉座のイメージにおきかえてみたのだった。

フーコーの文脈から遠く離れた地平への〈混在郷〉で、ポエジーの原点を照射する多様な座に、時代も国もまるで違う文のカケラをよこたえてみる。

手元に、数十年間の度重なる身辺整理の際の処分を免れた岩波文庫版『史記列伝』（全五冊、一九七五年）と、ちくま学芸文庫版『史記』（全八冊、一九九五年）がある。いずれも古ぼけているが、さらに古い源をたどると、前者は、「世界古典文学全集」（筑摩書房）に、後者は「筑摩世界文学大系」に収められたものが底本だそうで、思わず、〈ああ、古い書物が一番だ〉のつぶやきが洩れる。もちろん書誌学的センサクが目的ではなく、人間とは何か、を鮮烈に告知する驚異の書が、かつてはれっきとした〈世界文学〉の原典＝原点として位置づけられていた事実に目を向けてみたかっただけである。

この壮大な神聖人間喜劇を、われわれの詩記列伝用のちっぽけな世界劇場でつぶさに上演することが不可能なのはことわるまでもないけれど、〈混在郷〉のイメージをひき寄せる時、全世界を舞台とするポリフォニー・カーニバル的連鎖構造をもつ人間百科を連想せずにはいられない。

われわれの読みの世界劇場がそのポリフォニー・カーニバルを再演するのはもとより断念せざるをえないとして、いわゆるアンチ・ヒーローも数多く登場する「人間学」の大著を、あの大震災の後に読み返した時の衝撃を忘れることができないでいる。「人間主義のすべての幻想」「人間学のあらゆる安易さ」を葬り去らんとする『言葉と物』再読時とはまったく別次元の、感動と裏合わせの不安にうち震えたあげく、まさしくグリム童話の若者の冒険を共有した気分に染まり、キルケゴールのいう――正しく不安を学ぶことで「最高のもの」を学んだ実感を得たのだった。

さてしかし、〈混在郷〉のイメージに寄り添えば、紀元前の東洋史最大の人間ドラマから、もっとわれわれに近い、しかも極東の島国の近代詩の夜明けに忘れがたい足跡を残した当方偏愛の詩人北村透谷のカタコトに唐突に眼を転じる必要があるだろう。思潮社の現代詩文庫近代詩人篇は、当方が二十歳であった一九七五年刊『北村透谷詩集』をもって嚆矢とするが、さらに古い岩波文庫の選集及び全集――手元のそれらを眺めながら、私は件のベケット劇のセリフを洩らす。

詩人と思想家と二つの世界を往来して短かすぎる生涯を終えた透谷の知的混沌の不幸は、ポエジー＝文学の可能性と裏合わせになっている。彼の文学と実存の亀裂そのものに、世界劇場のスポットライトはあてられねばならないが、その亀裂の内実と同質のものを、われわれは『史記』の外面の結構ではなく、内面に鬱積した憤りに重ねみる。

弱冠二十三歳時に書かれた評論「厭世詩家と女性」なる恋愛のマニフェストで世人を驚嘆させた透谷は、その一文において現実社会の代弁者たる女性との関わりの中での恋愛の絶望をみちびいたが、没落士族の息子の多くがたどった政治（自由民権運動）への熱中もまた絶望に至る道に他ならず、一八九四年、じつに二十五歳の若さで自死をとげ、われわれが味方したい〝笑われ側〟に転落した。この間、二十四歳で、短文「情熱」「思想の聖殿」などをはじめ、〈「史論」と名くる鉄槌を以て撃砕すべき目的を拡めて、頻りに純文学の領地を襲はんとす〉る山路愛山との日本文学史上の歴史的論争として名高い一文「人生に相渉るとは何の謂ぞ」や、〈人間の根本の生命の絃に触れ〉た未完の論文「内部生命論」といった代表的な散文が矢継ぎ早に書かれているが、これらにもまして当方の偏愛の対象になって久しいのは、やはり同年に生れた評論的でない「一夕観」や「客居偶録」のような慎ましく澄んだ詩的短文である。

其一から其三までつづられた「一夕観」を〈混在郷〉で読み返すたび、私はそこに水澄ましに似た詩魂を宿す虫の姿を幻視する。そしてまたしても飛躍し、W・B・イェイツの詩篇「アメンボー」を、それを見事に読みとくS・ヒーニーのエッセーを連想する。「一夕観」を祖述せず、イェイツの詩篇も引かずに、記憶に刻まれたヒーニーの『プリオキュペイションズ』（室井光広・佐藤亨訳、国文社）中のひとくだりを端折って引けば——アメンボウ（水澄まし）は詩の中で脳神経のように思考する。脳神経同様に、騒々しくはあっても客観的実在性を持つ歴史上の出来事、つまりは非情な行為に満ちた止むことのない時の流れを容認している。すべてを認めると同時に、沈黙の時間が有する絶対性と歴史の流れに乗じたり逆らったりする精神の力を肯定してもいる。精神は行為するものとなり歴史に対して、肉体的と言ってもいい圧力をかける。その圧力のかけ方を象徴するものこそアメンボウであり、その姿がみるものの目にありありと映る（第二部「音楽の生成」より）。

非情な行為に満ちた歴史的現実を直視しつつ、沈黙の瞬間が有する絶対性と歴史の流れに乗じたり逆らったりする精神の力を肯定……「孤城落日の地位に立たしむるを好む」（「人生に相渉るとは何の謂ぞ」）透谷が最期にたどり着いた境地にも、水澄ましの運動に象徴されるものが「ありありと映る」のを私はみてとる。社会的現実と精神の内面の拮抗のドラマを生ききったその一匹の虫の運動の一端を知るため、「一夕観」の其二のみ、掲げる。

> われは歩して水際に下れり。浪白ろく万古の響を伝へ、水蒼々として永遠の色を宿せり。手を拱（こまね）きて蒼穹を察すれば、我れ「我」を遺（わす）れて、瓢然として、襤褸（らんる）の如き「時」を脱するに似たり。
>
> 茫々乎（ぼうぼうこ）たる空際は歴史の醇（じゅん）の醇なるもの、ホーマーありし時、プレトーありし時、彼の北斗は今と同じき光芒を放てり。同じく彼を燭（て）らせり、同じく彼れを発（ひ）らけり。然り、人間の歴史は多くの夢想家を載せたりと雖（いえども）、天涯の歴史は太初より今日に至るまで、大なる現実として残れり。人間は之を幽奥（ミステリー）として畏るゝと雖、大なる現実は始めより終りまで現実として残れり。人間は或は現実を唱へ、或は夢想を称へて、之を以て調和す可からざる原素の如く諍（あらそ）へる間に、天地の幽奥は依然として大なる現実として残れり。

ボルヘスが創作した作家ピエール・メナールの革命的読書法に従えば、この「一夕観」一篇を、『史記』の編撰者太史公こと司馬遷が書いたものとみなして読むのも可能だろう。私は、太史公を、透谷の一語をかりて「太詩公」とあえて誤記したことすらある。世界史的スケールの〝笑われ側〟に立って「太初より今日に至る」天涯の歴史を描破した太史公が抱いていた鬱情こそは、ポエジーの「原素」であるとみなせば、さらに透谷的一語をかりて太史公を「厭世史家」とよびかえることも、他ならぬ〈混在郷〉では許されるのである。

私はほんとうは透谷の一文「客居偶録」の、涙なしでは読めない「乞食」の章も引用したかったが、その涙が私性のものであるとのそしりを免れないのではと考え直した次第だ。逆賊として日本近代の〝笑われ側〟に生きることを余儀なくされた会津藩士の主従二人と、厭世詩家との一瞬の出逢いと別れを描いたその章全篇を、私はつい先ごろも手書きで写した。落魄の「乞食」主従二人を小亭に招いて夕食を振舞い、旧事を回想して心を痛ましめるのを怖れてほとんど言葉を交わすことなく別れた厭世詩家が記す一行——「讃むべきかな會津武士……深く人間を学ぶに堪へたり」を何度もつぶやいた。それで当方の気は水澄ましをみた時のように済（澄）んだのである。

ガレキの山に埋もれたる歴史あること

「これは三十年前とまったくそのまま同じではないか……。私はその日付けを推定してみた。三十年前といえば、よその国だったらつい最近の時代だが、ここ、世界でも変化の目まぐるしい土地ではすでに遠い昔のことなのだ」

これは三十年前、当方が著作家見習いとして出発することを許されたボルヘス論「零の力」の出生地の一つといっていいボルヘスの評論的エッセイ『永遠の歴史』（土岐恒二訳、筑摩叢書）の一節である。

この欠け端を架け橋として、当方にとって大それたテーマ〈永遠の歴史〉を論じようというわけではなく、ただ「三十年前」なる一語にひかれ、ボルヘス的な偶然性を重んじ冒頭に据えてみただけである。まもなく極東の島国固有の元号なるものにおいて三十年の節目を迎えるわれわれの国が「世界でも変化の目まぐるしい土地」といえるか否かも田舎者にはわからないが、この翻訳書をはじめて手に取った時の〝不安と恍惚〟の感触は、三十年たった今も変わらぬ性質のものだ。

冒頭に掲げた一節のすぐ後には、「私は自分がすでに死んだ人間のような感じがし、自分が世界の抽象的感受者であるような感じがした。形而上学でいちばん明白とされる知識を吹き込まれた名状しがたい恐怖」とある。この「いちばん明白とされる知識」の何たるかについても詮索せぬまま、「自分がすでに死んだ人間のような感じ」「自分が世界の抽象的感受者であるような感じ」という「感じ」に卑小なわが心身を同一化させた三十年前の気分と状況に思いを馳せる。さらに後に「自分が、永遠という思量を絶した言葉の、物言わぬ、あるいは不在の感受力の所有者ではないか」ともいいかえられるその「名状しがたい恐怖」を本格的に味わいたいという思いに駆りたてられたあげく、かのグリム童話の若者よろしくボルヘスの宇宙への旅に出た当方は、「不在の感受力」を「零の力」とみたてるのが関の山だった。

やはり三十年前に読んだ忘れ難い作品――H・メルヴィルの『代書人バートルビー』(酒本雅之訳、国書刊行会)を芋ヅル式に思い起す。なぜ連関しているかといえば、それがボルヘス編纂・序文『バベルの図書館』中の一冊だったからである。巨編『白鯨』を読んで圧倒されたのはずっと後年のことで、当時は、読みもしない『白鯨』のエイハブ船長と代書人バートルビーという「二人の主人公は、彼らがそれぞれ別個の影を投げる存在であるにもかかわらず、彼らがそれぞれ別個の具体的な個性の輪郭をえがいているにもかかわらず、同一の人物なのだ」とするバベルの図書館長の言葉をそのまま信じ、すでに入手していた岩波文庫『幽霊船　他一篇』(坂下昇訳）と併せ読み、バートルビーをめぐる一篇をメルヴィルの自伝とする説に追随したのだった。

今から思えば——I would prefer not to.（せずにすめばありがたいのですが）を口癖にする不可解な代書人とバベルの図書館長とは、「それぞれ別個の影を投げる存在であるにもかかわらず」、ともに「自分がすでに死んだ人間のような感じ」を共有しているという実感が当方にあった気がする。

「メルヴィルのつねに変らぬ主題は孤独ということで、孤独こそは彼の不運な人生の、たぶん中心的大事であった」とボルヘスは序文で書くが、中年期に失明の悲運に見舞われたボルヘスの孤独に重ねないわけにはいかない。

完全な闇に囚われる直前、敬愛する父の死と同時期、ボルヘスは九死に一生を得た大怪我を体験する。一九三八年のクリスマス、すでに目が悪くなっていたために自宅フラットの階段を駆けのぼる途中、窓に激突し、こなごなに割れたガラスの破片が頭の中に入ってしまい、以後、生死の間をさまよった。一九三三年から三四年にかけて書かれた物語散文の練習帳とも言うべき最初の本『汚辱の世界史』をめぐって、ボルヘスは「作品が書かれたとき、作者は少なからず不幸であった」とふり返っているが、こなごなに割れたガラスの破片が頭の中に入ってしまう事故は、それから数年後のことである。

事故後、起死回生の思いを込めて書かれた『『ドン・キホーテ』の著者、ピエール・メナール』について、史劇ならぬ詩劇が上演される世界劇場論をめぐる練習帳ともいうべき当方の覚え書きは、すでに何度もふれている。こうした重複は、キルケゴール的ゲンテルセン（反復）から遠くかけ離れた性質のものであることも十分承知している。

「ご用は何ですか」彼が穏やかに言った。

「写しだよ、写しだ」わたしは早口で言った。「写しの点検をするのさ。さあ」そう言うとわたしは彼のほうに四通目の写しを差し出した。

「せずにすめばありがたいのですが」彼は言い終えると、静かに屏風の背後に消えた。

（「代書人バートルビー」）

世界劇場とは何か？　その文芸理論上の学術的定義を、「せずにすめばありがたいのですが」と口真似するわれわれに、作中の他の一節にある「すむはずがない」という答えがかえってくるのも承知の上である。

われわれが口真似したくなるのも無理はない。なにしろ、仕事にまつわる依頼をする本作の話者にまで、バートルビーの「言葉」――「せずにすめばありがたいのです」が伝染し、苛立つ他の法律事務所員に向って「いまは君の口出しはないほうがありがたいんだ」などと口走る始末なのである。

「そこでわたしは、代書人との付き合いが早くもわたしの心にゆゆしき影響を与えたことを思い身震いせんばかりだった」。やがて、他の所員すらも、「ある書類の筆写を、白い紙か青い紙か、どちらでするのがありがたいかとたずねた。ありがたいという言葉に、ふざけているような響きはまったくなかった。その言葉が彼の舌から我知らずころがり出たことは明らかだった」

「いまのところ、お答えをせずにすめばありがたいのですが」「いまは、まともにならずにすめばありがたいのですが」「ここに一人でいるのがありがたいのですが」……

こうしたヴァリエーションの中に、われわれはキルケゴール的ゲンテルセンの結晶物をみてとるのだけれど、まだその関連についてのべる準備ができていないため、「今のところ」なぜそういえるのか語らずにすめばありがたいと書いてやりすごす。

法律文書の筆耕、つまり代書人という親愛なるバートルビーの仕事も、われわれの世界劇場にあって何か特別の詩的アウラを帯びたものにうつるが、その辞書的説明はすこぶる困難だ。

文書の写しを全部すませたら、一緒に点検しようという雇主の話者は、バートルビーがいつものセリフを吐いたことに対し、こう語る。「ハウ？　まさか君、例の強情っぱりの酔狂を押し通すつもりじゃないだろうね？」

この「ハウ」について岩波文庫の訳注は「ヤンキー特有の間投詞」としている。当方の手元の英和辞典で how をひくと、アメリカインディアンの言葉をまねたとされる挨拶の言葉で、「やあ、さあ、おい」といったニュアンスの戯言だという。

世界劇場観劇では、「何を」より「いかに」が重視されるとありがたいのですが……という幻の劇場支配人のつぶやきを念頭に、われわれは、その「いかに」に相当する how の間投詞用法も、無視されなければありがたいと思う。

三十年以上前に、当方が目撃した光景の一つに、ボルヘスの短篇「『ドン・キホーテ』の著者、ピエール・メナール」の作業があるが、このメナールこそは世界劇場における究極の筆耕・代書人の化身といっていいだろう。メナールが「何を」したか、は例によって省略させてもらうとして、メナールの名「ピエール」は、偶然にすぎないだろうが、メルヴィルの『白鯨』と「バートルビー」の間に位置する難解きわまる小説『ピエール』の主人公名と同じだ。正直に告白すると、私はこの『ピエール』をいまだ読みえていないものの、「バートルビー」の副タイトル（?）「壁の街（ウォール・ストリート）の物語」を思いおこせば、無為に徹するバートルビーが凝視する窓外の壁とピエール（石）とが世界劇場のカキワリの一部と化していることがわかる。

ここでわれわれの詩記〝裂伝〟と書いてもよさそうな列伝は、唐突にも、柳田国男『山の人生』の序章にあたる「山に埋もれたる人生あること」をもどいてつぶやく――ガレキの山に埋もれたる歴史あること、と。

さすがに、『山の人生』の著者と、雇主が引っ越したあとも、同じ事務所に居座って動かぬために逮捕・投獄される代書人バートルビーや『ドン・キホーテ』の著者ピエール・メナールとが、「同一」系列の仕事をした者といいたてれば、「ハウ」（おい、おい）の間投詞が方々にわきおこるだろうが、それを承知で、われわれはさらに得手勝手にしつらえた世界劇場の舞台を〝暗転〞させて、アンデルセンの名作童話『雪の女王』の序章にあたる一名〈トロルの鏡〉とも呼ばれる第一話「鏡とそのかけらについての物語」を招喚したりする。

ボルヘスの「ピエール・メナール」ふうにいえば、こうしたやり方を採用することで、われわれの世界劇場の「読み」を改変させ、「無限に豊か」なものにできるのではと考えているのだ。当方が三十年余り前に入信した〈読者教〉の教祖——「不在の感受力の所有者」ボルヘスは、ピエール・メナールに寄り添って読みの革命宣言をおこなった。メルヴィルの「ピエール」を先駆者として創り出したボルヘスのピエール・メナールは、故意のアナクロニズムと作品を違う作者に帰属させるという「無限に応用できる」読みの技術を（おそらく自ら望まずして）あみ出した。たとえば、『オデュッセイア』をあたかも『エネアデス』の後で書かれたもののように読んだり、『キリストのまねび』をセリーヌかジョイスの作品と想定して読んだりすることで、読み方を一変させることが可能になる。

実際、私は〈読者教〉信者として、しばしば曖昧と非難される多義性を豊かさにかえるというメナールの「読み」の詩的革命を種々のテキストに応用してきた。

もしも柳田国男の『山の人生』序章「山に埋もれたる人生あること」の著者がボルヘスあるいはアンデルセンあるいはカフカあるいは……だとしたら？　たしかに無限に応用できる読み方である。「何を」というより「いかに」の視点で読み込んでいき、行き詰ったら、how の用法の一つ、戯言の「ハウ」を思いおこし、アメリカインディアンのような口吻でその間投詞を〈ひらけゴマ！〉代りに発すればよいのである。メナールの「目に見える作品」「私的な文書記録」の中で、さいごにあげられているのは、「句読法のおかげで効果をあげている詩のリストの草稿」なるものであった！

「おい、おい」とか「はあ？」とか、驚き呆れた時の間投詞がわくのを承知の上で、われわれはまたも唐突に、「もしも」をつけ加える。たとえばもしも、「代書人バートルビー」の著者が、『死者の書』の著者折口信夫（釈迢空という戒名をペンネームとした学匠詩人！）だとしたら？……

　アメリカインディアン起源とみなされたヤンキー特有の間投詞「ハウ」は、こんどはたちまち学匠のエッセイ「ほうとする話」にある「ほうとして生きることの味い」の「ほう」に変化するだろう。

　外観も中身もまるで異なるけれど、学匠のため息まじりのつぶやきにいう「死なうと言ふ事さへ思ひもつかぬほど、生きくたびれた人」の一人に、バートルビーも数えられる。バートルビーが息たえた牢獄の壁にもまた、学匠ふうの「ほうとした」最期のといきが沁みついていたにちがいない。

牢獄内であろうと、野ざらしの旅の途上であろうと、「ほうとして生きる」人間の原像は、共通の光景の前に佇んでいる。その光景をめぐって、私は、柳田の「偉大な人間苦の記録」のタイトルを勝手に改変し、ガレキの山に埋もれたる歴史あること、としたのである。

「ほうとして生きる」人間の宿業を、H・アレントのベンヤミン論中の言葉をかりていいかえるなら、「自身が自分の生涯をこなごなになったかけらの山とみていた」となろう。

この「かけらの山」が何によって生じたものかはそれぞれ事情が異なっているけれど、詩記列伝（あるいは裂伝）を演し物とするわれわれの世界劇場の背景において、それぞれの名前を与えられたカキワリの中、かけらは永遠のアウラを放つ。

ガレキの山に埋もれたる歴史とは、歴史学者が語るようなものではない。ピエール・メナールが遺した「重ね書きの羊皮紙」こそはガレキの山に見出される典型的な文書である。「いわばトロイを発掘し、蘇らせる」その作業によって姿をあらわす歴史は、すでに起ったことではなく「われわれが起ったと判断する」――冒頭でふれたボルヘスの『永遠の歴史』がそうであるような歴史である。

自伝『故郷七十年』で柳田がいうところによれば、『山の人生』はただ第一章に記した二つの事件のことが書きたくて書き出したのだが、それが第二章以後の山人を主題とした論述の内容とうまく嚙み合わなかったために分裂し、分かりにくさを生じてしまったそうだ。
われわれが観劇したい世界劇場にあって、こうした分裂と分かりにくさを伴う序章のリアリティは格別の興味関心をひくものとなる。〈読者教〉教祖ボルヘスは、『序文つき序文集』の序文で、モンテーニュの『エセー』の簡潔にして感動的な序文は、その素晴らしい本文にもまして素晴らしいものであると書いている。
アンデルセンの『雪の女王』の第一話「鏡とそのかけらについての物語」は、——さあ、始めるよ。ぼくたち物語の終りにきたら、今までよりもっとものの知りになっているよ。悪らつなトロルの物語をするんだから。その中でも一番悪いやつ、〝悪魔〟のことなんだからな……といった調子ではじまる。
語り出しのデンマーク語 Se så！「さあ」は聞き手にこれから話すことに注目させるためのさそいの言葉で、アンデルセン独特の話し方、文体を象徴するものとされる。
このSe såも、われわれの極私的世界劇場の観客の耳には、件のヤンキー語の間投詞「ハウ」に類した響きをもって伝わってくるのだけれど、どうしてだろうか。
代書人バートルビーの—— I would prefer not to. という蠱惑的な殺し文句を耳にした話者が思わず漏らしたのが「ハウ」であったが、法律事務所に雇われた筆耕がやって当り前の代書とその点検作業を、「せずにすめばありがたい」と言ってのける男のリクツはこの世俗世界に通るものではない。北欧の森や林に住むとされる想像上のイキモノで、善玉・悪玉とあるがいずれも醜いトロル——その悪らつなトロルについての話をきくと、それがために物知りになるというリクツも奇妙なものという他ない。

『雪の女王』は誰が読んでもこの第一の物語と残りの第二から第七までの物語とは質が異なる印象で、すでに瞥見した柳田の『山の人生』と同じく、第一の物語は残りの物語の序のような働きをしている。

この「鏡とそのかけらについての最初の物語」はデンマーク人の間では広く知られたものだそうで、われわれの人生において美しいものを見る能力に欠けている時、「魔法（トロル）の鏡」のかけらが目に入った人、というように日常用いられる成句ともなっているほどだ。

人々がそれをかけて正しく物を見たり、公平であろうとするとうまくゆかない眼鏡にもなったので、悪魔は痛快のあまり腹が裂けるほど笑いころげた……外では、まだこの小さなガラスのかけらが、空中を舞っていました……というところで一話は終る。『雪の女王』の「ぜんたい」とのつながりはおくとして、トロルの悪魔が営む「トロル塾」の出身者——心が「ひとかたまりの氷のようになってしまう」シンドロームにとらえられた「ほうとして生きる」ことを余儀なくされた人間群像こそ、われわれの「読み」の世界劇場の主要登場人物なのだといわなくてはならない。この人間群像の洩らす独白を、キルケゴール「哲学的断片」中の一行で——〈「その日の出来事」が永遠の開始なのだ！〉と翻訳することも可能であろう。

トロル塾員たちが否応もなくもたされた鏡・ガラス・眼鏡のかけらは、ヒューマニティをヒユーマニアックな心性で裏返す特殊な技術を塾員たちに授ける。その技術が生み出す〝氷の花〟の結晶は、世界劇場の演し物の共通語である詩的言語の成分となる。あべこべ・サカサマへの偏執をあらわにするポエジーが、バートルビーが見据えた強固な壁をも崩し、「永遠の開始」を告げるガレキの歴史を編むことが可能になるのだ。

世界劇場の詩劇の観客を自称するわれわれは、あらためて、「芸術はそのいかなる作品においても、人間に注目されることを前提としてはいない。というのも、いかなる詩も読者に向けられてはおらず、いかなる絵画も鑑賞者に、いかなる交響曲も聴衆に向けられてはいないからである」というベンヤミン「翻訳者の使命」のプロローグを想起する。

こうした極限の逆説的言辞もまたトロルの鏡のかけらのなせるわざなのではとつい勘ぐってしまうのは、ヒューマニティにならされた読者・鑑賞者・聴衆・観客の常であるが、重要なのはこれが発せられた立ち位置だ。H・アレントはカフカと同じとみなしたベンヤミンの状況を「難破船」の一語でとらえた。その船の「マストの先端」でかれらは叫んでいた……というように。

フーコーの『言葉と物』序にいう「おびただしい可能な秩序の諸断片を、法則も幾何学もない《混在的なもの（エテロクリット）》の次元で、きらめかせる混乱」を引き受けるわれわれの劇場の登場人物たちは、つぶやく——できれば聴衆・観客無しで済ませられたらありがたいのですが……。

かれらを劇場まではこんできた難破船は、「永遠の開始」をモチーフとするガレキの歴史を編むもののマナザシにしかとらえられない。

水の　時刻　瓦礫船が

（『パウル・ツェラン詩集』飯吉光夫訳、思潮社）

ガレキの歴史の編集に生涯を費やした幻の作家・批評家ピエール・メナールに出遭ったのと同じ頃、もろもろの事情で「自分がすでに死んだ人間のような感じ」にとらえられていた当方が愛読する現代詩人粕谷栄市は、一九九九年刊の詩集『化体』（思潮社）中の一篇「瓦礫船」の扉に右のツェランの詩のかけらを刻んでいる。

「決して、小さい船ではないが、瓦礫船に浴室のあることは不思議だ。大体、瓦礫ばかりを積むための船には、必要のないもののはずだ」と粕谷は書き出す。共同浴室とおぼしきそこは意外に広く、さらに意外なことに、いつも何人かの男が、入浴している。メルヴィルの「幽霊船」と比較してみたい衝動に駆られるが、もはや「無しで済ます」べきだろう。

(b) 日常的な言語を形づくる概念の同義語や迂言法ではなく、「慣習によって作られ、本質的に詩的欲求のためにある観念的な対象としての」概念の、詩的用語を構築する可能性についての研究論文（ニーム、一九〇一年）。

これは、ボルヘスが創作した作家・批評家ピエール・メナールの手になる「目に見える」作品として列挙されたリスト中の一つである。極東の島国で詩的言語の練習生をつづけて久しい詩記列伝の編著者に、たちまち翻訳の壁をめぐる「目に見えない」不安な感じがおし寄せる。ベンヤミン的に高度な意味はさて措くとして、「逐語」的なニュアンスをつかむことすらおぼつかないので、取りあえず右の岩波文庫版（鼓直訳）『伝奇集』所収「『ドン・キホーテ』の著者、ピエール・メナール」とは別の集英社版（篠田一士訳）の同じ箇所を反復読みすべく転写してみる。

〈諸概念を表わす詩的用語法を構成することの可能性についての研究論文。これは、わたしたちの日常語を作りあげている言語の同意語や迂言法に当たるのではなく、「伝統に従い、もっぱら詩的要求を満足させるために創造された理想的なもの」である〉

われわれ詩的言語の練習生にとって、〝古い問題と古い答え〟を含むと思われるこれら二種の翻訳のカケハシをはじめに脳裡に刻んでおくことにしよう。

詩的用語（法）を構築する可能性について。本質的に詩的欲求を満足させるために創造された概念について。

両者を帰納させたつもりでそうパラフレーズしたところでおぼつかない感触はいっこうに消えないが、他ならぬこういう感触そのものの中にわれわれにとって切実で重要な何かが隠されているとしたらどうだろう。

ボルヘスのピエール・メナールをめぐる一篇はいわゆる詩作品ではないが、「もっぱら詩的要求を満足させるために創造された」作品であるといっていい。実際、若年期にこの一篇を読んで「日常語を作りあげている言語」のレベルで理解できたかどうかに関わりなく、当方の「詩的要求」がたしかに満たされた実感は今も鮮やかに反芻できる。ちょうどその頃、当方が愛読していた現代詩文庫『粕谷栄市詩集』の巻末エッセイに「やさしい詩の書き方、生きゆくための詩」がある（「現代詩手帖」一九七二年四月号初出）。

ルネ・ベルトレ編・小海永二訳『アンリ・ミショー』について書かれたこのエッセイは、「外国語をよくできない私が、外国の詩人の作品に触れることができるのは、勿論、翻訳という、それができる人の貴重な作業の結果によってである」とはじまる。

　明治以来のわれわれの国では「比較的私のような人間が多くて、外国の詩の実に多くのものを、その貴重な作業によって得て来たと言える」としたうえで、詩人は「この事実には非常に興味深い性格がある」とつづけ、次のように書く。

「言うまでもないことだが、フランスの一人のアルチュール・ランボオは私の国では数人の、アルチュール・ランボオ、いや数十人、数百人のアルチュール・ランボオとなる。そしてその翻訳の恩恵にあずかる者にとっては、そこにはそれらの作品から、逆に一人のアルチュール・ランボオを帰納するたのしみが存在することになるのである／それは私などには判らないが、おそらく、私たちの詩の形成に一つの意味を持って来たのだと思う。厖大な人々の厖大なそのたのしみは、やはり、作業と呼ぶべき性質を持ち得るからである」

　粕谷栄市が「詩らしきものを書きつづけようとする決定的な要因となった」アンリ・ミショーとのめぐりあいに含まれる「全く個人的な私事に関する、一つの事情」を語るのは至難のことと前置きされた後に語られる内容は、「詩的用語を構築する可能性について」ふれた「本質的に詩的欲求のためにある」ものだが、われわれはあえてエッセイのマクラの部分にとどまり、「私たちの詩の形成に一つの意味を持って来た」「作業と呼ぶべき性質」というところに、詩的言語の練習生にとっての〝古い問題と古い答え〟を見出そうとする。

数人、数十人、数百人と増殖する……つまりは翻訳者の数だけ存在する外国の詩人（＝詩的言語による創作者）の作品から「逆に一人の」詩人を帰納すること――その愉楽こそは、われわれ〈読者教〉信者の「詩的欲求」を満たすものである。

たとえば今、手元にシェイクスピア詩集にはじまる海外詩文庫（思潮社）が複数冊あるが、この文庫は、編訳者が選んだ他の訳業をも複数収録することによって、まさしく読者に「作業と呼ぶべき」楽しみを与えるふうの編み方がなされていて、永らく当方の欲求を満たしてくれた。

その「作業と呼ぶべき性質を持ち得る」愉楽のいとなみを、同語反復になるのを恐れずに他ならぬ〈読者教〉教祖ふうの言葉で翻訳し直せば、〈詩という仕事〉となろうか。

ボルヘスが創作した作家・批評家ピエール・メナールの夢の作業も、〈詩という仕事〉の一環だった。

「彼は、人間のすべての労苦を待ち受けている虚無の先を越そうと決心し、あらかじめ無益と分かっている非常に繁雑な仕事に手をつけた。すでに存在する本を外国語で反復することに、その細心の注意をかたむけ、不眠の夜をささげたのだ。草稿を山と積みあげた。根気よく朱筆を入れ、何千枚という原稿を破り棄てた。誰かが目をとおすことを許さなかったし、死後も残ることがないように気をつかった。それらを復元しようというわたしの努力はむだだった」

架空の作家が「何を」しようとしたかここに祖述しても、その「努力はむだ」になるだけだろう。なにしろ「あらかじめ無益と分かっている非常に繁雑な仕事」だというのだから。

粕谷栄市のエッセイの趣旨から外れてしまうのも「あらかじめ」覚悟の上でいうのだけれど、メナールが従事した〈詩という仕事〉の背後には、われわれ〈読者教〉信者にとっての「詩の形成」に必須の「帰納するたのしみ」が潜んでいる。

「名声はすなわち無理解、それもおそらく最悪の無理解なのだ」と書いたメナールの生みの親ボルヘスは、やがて世界的名声につつまれる。自伝的文章の中で、ボルヘスはそのことをわれわれ好みの名セリフでこうふり返った——名声は闇と同じようにゆっくりとしのび寄ってきた。

教祖のためにつけ加えておきたいが、この場合の闇はありふれたたとえではなく、壮年期ほぼ十年くらいの間に完全失明に至ったリアルな存在を指している。教祖以前の彼が「あらかじめ」予言的に記した通り、「最悪の無理解」としての名声と闇は手を携えてやって来たのだった。完全失明とほぼ同時期にわが教祖に与えられたアルゼンチン国立図書館長という「仕事」をめぐって書かれた詩篇「天恵の歌」は、「いかにも皮肉なことだが、同時に／書物と闇をわたしに授けた／神の巧詐をのべるこの詩を、何者も／泣き言に、或いは怨みぐちに貶めてはならない」とはじまる。

また「盲人」という詩篇のはじまりはこうだ。「彼は様々な世界を奪われてしまった。／昔のままで変わらない顔、／今日はすでに遠いものになった近所の通り、／昨日は深かった青い空。／書物からは記憶の許すものだけが／残されている。形を留めてはいるが／意味は失われ、ただ題名だけが／映し出す、あの忘却の一つの形」（『ボルヘス詩集』思潮社）。

闇の中に佇むバベルの図書館長が、「いかにも皮肉なこと」といわざるをえない「神の巧詐をのべる」詩の最初に、「泣き言や怨みぐちに貶めてはならない」と宣言する時、自らの宿業の中に、〈詩という仕事〉が一つの姿、すなわち天恵というカタチをとったことを実感しているのは疑いない。バベルの図書館長が生み出した〈読み〉の化身ピエール・メナールは、無数の読者像からいわば帰納された存在である。

騎士物語を読みふける行為からドン・キホーテが生れたように、メナールは「すでに存在する本を外国語で反復」読書する〈読者教〉信者が陥りやすい一種の狂気から誕生したといっていい。

誤解を恐れずさらにつけ加えるなら、万巻の書物に囲まれた図書館長にとって、その書物群はガレキの山にひとしい存在となりはてた。不可能性のバベルの図書館長が、そのガレキの山に埋もれたる歴史を編むいとなみを目の当りにした若年の日の衝撃と感動を今も忘れることができない。

「目に見える」カタチではもはや書物が読めない者に与えられた図書館長という仕事。……〈読者教〉教祖はそれを「天恵」と呼んだ。昔も今も、ただの一信者である私は昔、「個人的な」

事情によって出遭いを果した詩人粕谷栄市のエッセイの中の「翻訳の恩恵にあずかる者」がおこなう「帰納」のたのしみに、「天恵」を重ねた。無理を承知でそうしたのには、じつはもう一つ当方の若年時の「個人的な」事情が関わっている。「逆に」いうなら、その事情は、われわれの詩記列伝のテーマ――極私的世界劇場とやらで演じられる断片劇に共通する詩的言語を「帰納する」いとなみにもつながるはずである。

　ここでまた唐突にボルヘス的な〈永遠の歴史〉をあぶり出す粕谷栄市の詩集『化体』（一九九九年、思潮社）中の一篇「瓦礫船」の後半部を引く。

> 寒々とした浴室の空間で、それぞれが、全く関わりなく、何十分もそうしている。一度、それを目にした者は、再び忘れることができないのだ。
> どんな世界から、そこに来たのか。彼らについては、さまざまなことが考えられる。大袈裟に言えば、それは、この世に人間が生きていることの全てに渉ることと言えるだろう。
> と言うのも、瓦礫船は、その名を知る者にしか存在しない。遥かな苦悩の経験によって、この世の一切を瓦礫と感じている者だけが、憶えているものだから。
> 彼らの、いや、もう誰のものでもない、深夜の血の海に、その彼らの遠い浴室の幻のみとなって、碇泊していると言えるからである。

われわれの詩記列伝が偏愛する断片劇は、こうした瓦礫船そのものを劇場として静かに演じられる。さらにずっとさかのぼり、ミショーに「生きゆくための詩」を見出した粕谷栄市の詩集『世界の構造』（一九七一年、思潮社）の中の「啓示」と題された一篇にもふれたい。「アマーガー平原に、私は、一度も行ったことがない。一生、行けることはあるまい。亡くなった方の書きのこしたもので、知るだけだが、私には、とても懐しいところだ」とはじまるその詩篇の最終部を、ベンヤミンが強調した「書き写す者」やピエール・メナールとなったつもりで次に引かせてもらう。

生きることが苦しい時、よく私は、自らに呟く。「アマーガー平原」と。
私は、何も知らない。が、いみじくも、今から百二十年前、確かに同じことを、呟かれた方がいる。無学な私は、時々、その名を間違えるが、たしか、キェルケゴール氏と言われる。

この詩篇を収めた現代詩文庫『粕谷栄市詩集』は私にとって「とても懐しい」――M・プルーストのいう特別の「初版本」であるが、その無類の懐しさを散文的に説明するには、詩文庫巻末の「散漫なおぼえ書き――来歴について」なるエッセイの書き出しも引かねばならない。

「私は詩人となり、人々の共感と讃辞に囲まれて生きるよりは、アマーガーの平原で、豚の番人となり、豚たちの友愛と共感をかち得たい」――いまはうろおぼえの文章だが、それは確かアンデルセンの自伝に出てくるキェルケゴールのことばである。

詩誌「鬼」に所属していたころ、それをひどく気に入っていた私は、そのことから、「啓示」という作品を書いた。

同詩文庫に収められた他のエッセイ、不惑の頃に執筆された「詩を書く場所」によれば、詩人の書棚には、新古今和歌集とカフカと小林多喜二とボルヘスとが一緒に並んでいる、とある。本のリストを示すのが目的ではなく、「部屋の混乱」をあらわすためのものである。「それは、私が、文学というものを、一度もまともに勉強することのなかった人間であり、そのことで生きてきた人間でないことを、少しは説明してくれるかも知れない」という粕谷節のにじむ文脈に、若年の日の私は、すでに拒絶されながら読みかじりはじめていたキルケゴールの「アマーガー平原」をめぐるエピソードを重ねつつ、ほんとうの詩人が生きゆくための詩=文学（ポエジー）という逆説的な場所に射すアウラに烈しく衝たれた。ピエール・メナールふうに受取り直すなら、「アマーガー平原」のつぶやきが、「名声はすなわち無理解、それもおそらく最悪の無理解」という言葉が単なるレトリックでないものとして、「もっぱら詩的要求を満足させるために創造された理想的なもの」として響き渡ったのだ。

詩人粕谷栄市の描く自画像は常に「無学な私」をめぐるものといってもいいほどだが、その「散漫なおぼえ書き」や「うろおぼえの文章」の中に、私はカフカのあの「犬の探究」の語りと似たタッチを見出した。カフカの「犬の探究」は、われわれの眼に、「究極的に無益なものでない知的営為は存在しない」というピエール・メナールの前提をふまえているようにみえるのだ。

「……わたしの研究のもつむずかしさとわたしの研究のほとんど実現不可能な前提条件については、あえて触れないことにしたい。こうしたわたしにどうか抗議を申入れないでいただきたいのだ、わたしは平均水準に達した犬程度にはわけがわかっている、わたしとしてはほんとうの学問に頭を突っこむなど思いもよらないことなのだ、学問にたいしてそれにふさわしい敬意は払っている、ただ、学問の内容を充実させるだけの、知識も、熱意も、余暇も——それから、最後になってしまったが、とりわけてここ数年来は——食物も、わたしにはない」(「ある犬の探究」『ある流刑地の話』本野亨一訳、角川文庫)

極私的・場当り的、そしてローカルという特徴をもつわれわれの詩記列伝用の「読み」の世界劇場では、ある痛切な探究心を抱いて歩く犬が棒に当るような仕方で引用の切りばりがなされる。われわれの世界劇場を、粕谷栄市の第一詩集のタイトル〈世界の構造〉ふうのものといいたてる、などと独語しつつ、ほんとうの詩人像を「帰納」するため、右の一節につづけて、詩人のエッセイのひとかけらを並べてみると――

私は、常に、仕事に、つまり或る種の義務に追われて生きている人間で、そのために、殆ど余暇というべきものを持っていないのだが、（つまり、そのように自分を考えていたいのだが）そんな私に、ときに、全くそれを忘れる時間がやって来る。それは、私が、切実にそれを願っているときのこともあるし、全く、唐突にやって来ることもある。

（「詩を書く場所」）

さりげなく投入されているカッコ書きを読み過ごしてしまうと、ほんとうの詩人が常に「切実にそれを願っている」――ボルヘスのいう〈詩的なるもの〉＝〈詩という仕事〉の何たるかを取り逃がすことになるだろう。

（つまり、そのように自分を考えていたいのだが）という慎ましやかな願望の表白部分に、「生きることが苦しい時」に呟かれる「アマーガー平原」が静かにエコーしている。生きることが苦しい事態と、「詩作よりも不幸に通じた」作家セルバンテスが操るドン・キホーテが断言した「詩は本来、特殊なものを除いて売買の対象にならぬ旨」とは表裏一体のものだろう。

先のエッセイ「やさしい詩の書き方、生きゆくための詩」の扉に、粕谷がアンリ・ミショーからとおぼしき次のような文のカケラを掲げていたことも思い起される。

「書物という奴が、これが何よりもわたしを疲労の極に追いやる。わたしはただの一語でも、元のままの意味、元のままの形で残してはおかない」

「犬の生活」というタイトルのこの文の意味を出典も含め詮索することを私は断念する。そうして、本稿の前半で、バベルの図書館長についてのべたことを、誤解を恐れず、そのまま反復して終りたい。

わが青春の詩人にとって、書物群はガレキの山にひとしい存在となりはてた。「アマーガー平原」に〈詩的なるもの〉が極まった非詩的なるものに重なる極詩的な居場所を見出した詩人がそのガレキの山に埋もれたる歴史を編むいとなみを目の当りにした若年の日の衝撃と感動を今も忘れることができない。

いや——と、思い直し……ガレキの歴史を詩的言語でつづった——当方の貧寒な青春の詩的欲求を満足させた一篇「礫山」(『世界の構造』所収)中のひとかけらを写し加えるのも一興だろうか。

　人間の骨と皮で作った、その堆積には、そして、多く、鴉が舞い降りている。祈禱とは、
或いは、放棄のごときものだろうか。全て、日常は、僧のように焚かれ、昼の月となって、
礫山の天へ昇っているのだ。
　勿論、それは、全ての屛風にかかれた絵である。そこでは、一切に、名前は無い。僧侶

も、寺院も、撲殺も、礫山も、全て、無名の墨跡となって、消えているのだ。
紺碧の天の白刃のごときもの、私の礫山へ行く、長い貧しい一生のような道も。
（礫山とは、私が、仮りに呼んだ名である。）

「礫山へ行く、長い貧しい一生のような道」に、若年期の私は「アマーガー平原」への道を重ねたのを思い出す。言語が消えているぎりぎりの地平にそれは、極詩的言語の可能性としてたしかに幻視された。

言葉ではなく「全ての屏風にかかれた絵」というその屏風はまた私にメルヴィルの「代書人バートルビー」に出てくる屏風を連想させた。「衝立て」とも訳されるそれは、その後方で「得体の知れぬ学士」バートルビーが立ったままの夢想に身を任せる「隠れ家」である。ガレキの山＝礫山の屏風と、代書人の隠れ家にどんな関わりがあるのか……私はひとりごちる——その説明は、できればせずにすめばありがたい、と。

打出の小槌考

粕谷栄市の第一詩集『世界の構造』の表題作は、〈私は、「世界の構造」と言う書物を愛読している〉とはじまる。

ずっと以前に田舎町の古物屋で、柄のとれた火桶と一緒に買わされたというその書物は、ぼろぼろの表紙の分厚い本で、作者も、出版された所も判らない。内容と題名とは全く関係がない。落丁のため判読し難いが、書かれているのは、多分、豚の育て方である。飼料である落花生の良否から、豚小屋の設計まで、くわしく易しく述べられているが、しかし、それらは行なわれなかった事柄ばかりである。

例えば、豚の入浴に就いてだが、華氏百五十度に沸かした塩水に、飼主がその豚の鼻孔を手巾で押え、正午から日の入りまで、共に入っていなければならぬ、と書いている。それが必要だと考える者はあるまい。

どの頁をも、おそろしく下手な一枚のさし絵が飾っている。「私」がこの書物を愛するのは、その故でもあるが、要するにみんな同じもので、日の当る一本の円い樹を背景に、一人の男が、よく太った豚を抱いて、笑っているものである。男の笑顔は、殆ど豚の顔だが、よく見ると、その足元に、同じように一人の子供が、小さな子豚を抱いて笑っているのだ。

それを眺めていると、何故か、「私」はひどく幸福な気分になる。柄の取れた火桶のように、一切を許して悔いなくなるのだ。

「世界の構造」について作者が知っていたことを、「私」もおそらく知りそめている。

この書物を、「私」に売った古物屋の女房も、その時、そう言って、「私」の貧しい財布を取りあげたのである。

「ひどく幸福な気分」を追体験するため、話者になりきったつもりで、一部のみ改変し、ほぼ全篇を書き写してみた。かつてベンヤミンはエッセイ「書き写す者」で、「街道を歩いてゆくか、飛行機でその上を飛ぶかによって、街道の発揮する力は異なる。同様に、テクストを読むか、それを書き写すかによって、テクストの発揮する力は異なる」と書いた。書き写されたテクストだけが、それに取り組む者の魂に号令をかけるのであり、それに対し、単なる読者は、自分の内面の新しい眺めを決して知ることがない、と。

そのエッセイの趣旨と関係があるかどうかおぼつかないが、ベンヤミンはまた、〈書かれなかったものを読む、というのが最も古い読み方だ〉とする誰やらの箴言（？）を愛した。

テキストを書き写す者の魂に号令をかける、とか、自分の内面の新しい眺めを知る、というベンヤミンの高度に思想的な物云いの真意も十全につかめたためしがないのだけれど、それにもかかわらず、若年の日よりこの不世出の文芸思想家の説く〈最も古い読み方〉をめぐるコツに強く心ひかれてきた当方は、じっさい粕谷の「世界の構造」を書き写しているうち、それがわれわれの「読み」の世界劇場の構造と有縁であるという「新しい眺め」を獲得しえた気分になった。

その内面の新展望とは、当方の場合、見果てぬ夢の性質をおびる。要するに、あるテキストを引用し、何らかの註釈を加えるいとなみそれ自体に「号令」をかけて何かべつのものにしてしまいたいと願っているようなのだ。

ではもう一つ、ついでに書き写す。

月が沈む

花と迷妄の果てに浮く月は
きみの論理で
沈むのではない

たとえ迷妄の片側にせよ
月がはるかに
傾くのは
月の
きみへの釈明ではない
月は明快に上昇を拒む
いわれなき註解となって
きみは
そこへ佇(た)つな

粕谷栄市に強い影響を及ぼし、「彼と彼の詩篇を知らずに、一生を終る人間は不運である」とまでいわしめた詩人石原吉郎の「未刊詩篇から」(現代詩文庫『石原吉郎詩集』所収)中の一篇である。

われわれの詩記列伝はことわるまでもなく、現代詩(人)論の類ではない。私はその能力も資格ももちあわせていない。「釈明」すること自体、こっけいだろうが、本稿がその都度作っては解体する不可視の芝居小屋でとりおこなう「いわれなき註解」が、まっとうな詩人が忌まわしく感じる性質のものである他ないことを、粕谷の「世界の構造」ふうにいえば、テキストを〃みぞおちで読む〃練習生たらんとする当方もおそらく知りそめている。

「それが必要だと考える者はあるまい」。にもかかわらず、当方のふるまいに夢があるとすれば、沈む月の光景がかけてくれるかもしれぬ性質の「号令」への思いとでもいうしかない。

書き写す者を、歩行する者にたとえたベンヤミンを再び思い起こすと、又しても、書き写しの衝動に駆られる。何度かノートした覚えのあるボルヘスの短篇「トレーン、ウクバール、オルビス・テルティウス」中のひとくさりはこんなふうだ。

> たとえば、「月（ムーン）」に当たる言葉はなくて、英語でいえば、さしずめ「月する（トゥムーン）」または「月にする（ムーネイト）」に当たる動詞はある。「月は川の上に昇った」は《hlör u fang axaxaxas mlö》——つまり「流れるもののうしろから上方にそれは月した」となる。
>
> トレーンという天体の文学は、観念的な事物に富んでおり、それらは詩的要請に従って、瞬時に喚起されたり溶解したりしている。時としてそれらは単なる同時性によって決定される……。
>
> （篠田一士訳）

書き写しに熱中する〈読者教〉信者の魂に号令をかける月は、川の上に昇る時も沈む時も、魔法のような「詩的要請に従って、瞬時に喚起されたり溶解したり」する存在だ。「流れるもののうしろから上方にそれは月した」という仕方で、月に相当するものが、われわれの世界劇場のカキワリとなってくれるはずなのである。

ここで深入りすることは許されないが、それはたとえば学匠詩人折口信夫が探究した『万葉集』に登場する「月読」神の持つ若返りの水＝〈ヲチ水〉をめぐる風景を思い起こさせもする。

本稿のテーマの一つに、古い問題につながる〈詩的言語とは何か？〉があるのはたしかだけれど、いわれなき註解となって佇つ者に答えられるわけもない。書き写してはじめて眺望の中に入った「月は川の上に昇った」にあたるトレーン語のひとかけら axaxaxas を笑い声として受取り直す〈読者教〉信者の手に、「詩的要請に従って、瞬時に喚起されたり溶解したり」する魔術的、錬金術師的な〝打出の小槌〟が与えられるという妄想だけが何事かである。「柄のとれた火桶」の外観をもつこの小槌を握る者はトレーン国の住人となる。そこでは「剽窃の観念は存在しない。すべての本は唯一の作家の作品であり、その作家は時も名も限定されていないということが確立している。批評はえてして作者を創るものである」。

こうしたボルヘスのトレーン物語は一九四〇年に発表された。新たな惑星の発見を思わせるSFめいた物語は、しかしあくまで、〈世界の構造〉を見直すために、現実を批評するものとして生み出された。雑誌発表の二カ月後に、ボルヘスは語っている――一九四〇年に入ってからずっと、「毎日朝を迎えるごとに、現実はますます悪夢に似てきている」と。

あのカフカ同様、そら恐ろしい悪夢へのリアルな処方箋として、詩的言語による痛切な「ほら話」が必要だったのである。

初読時の当方が、世界史的な大惨事と裏合わせのこうしたアクチュアリティに思いを馳せることができなかったのを隠しても仕方ないが、遅れとズレは〈読者教〉信者に許された習癖でもある。

当方はやはり遅れ遅れで、つい近年になって、われわれの打出の小槌考に関連する次のような文に出逢った。

> 中世には、語の現代的な意味で「テクストを引用する」いかなる可能性もなかった。というのも、ある「著者（アウクトル）」の作品とは、その引用をも含むものであり、それゆえ、いささか逆説的に聞こえるかもしれないが、「いにしえの著述家たち（アンティクイ・アウクトレス）」のテクストに引用として含まれるべきものが中世のテクストなのである（このことは、中世において「註釈（グロッサ）」が著述の形態として偏愛されていたことを、よく説明してくれる）。
>
> （ジョルジョ・アガンベン『スタンツェ』岡田温司訳、ちくま学芸文庫）

第三章「言葉と表象像（ファンタスマ）」から引いたものだが、この直前にはわれわれの〈読者教〉教祖とは一見対照的な作家プルーストへの言及がある。その部分を、件のベンヤミン的書き写す者の心理で祖述すると――プルーストは、登場人物を「持続」の中に途方もなく引き伸ばされたものとして記述している。それは「あたかも長い年月の中に深く横たわる巨人たちのように、遠く離れた時代を同時に生きている」。中世において各著作は、それらが背負っている伝統と一体化していた。文献学的な感性になじんだわれわれには、たとえどれほど耐えがたいことであっても、それら著作の一貫性をはっきりと認めることはできないのである。プルーストが人間の身体について考えていたように、著作もまさに文字どおりの意味で、時間の産物なのである……。

「註釈」が著述の形態として偏愛されていた中世のイメージは当方をおどろかせた。近未来の新世界をもどくボルヘスのトレーン物語ふうの現実が、過去に存在したように思われたからであるが、しかし、よくよく思い出すうち、アガンベンと違い、ずいぶん以前に出逢って圧倒された文芸思想家ベンヤミンと並ぶM・バフチンの著作のどこやらに同工異曲のものがあったのではないか、と気づいた。

われわれの「読み」の世界劇場の構造にもつながりをもつと思われるその一節を、書き写すのはさしひかえるが、要するに中世文学において他者の言葉の引用がはたした役割はきわめて大きいという主旨のものである。

二人の突出した知性が論述する「中世」を同じものとみなしていいのかどうかをはじめ、ただの読者にはわからないことが多いけれど、トレーン国の住人を自称して久しい者の脳裡に、やはりつい最近になって知った事実が浮んだ。ピエール・メナールがとりついて特別の転写作業をおこなった『ドン・キホーテ』の序文ではなくて、その前にある「ベハル公爵に捧げる献辞」がそっくりそのまま同時代の他の著作家がしたためた献辞のひき写しだということに当方は三度も通読していながら気がつかなかった。世界文学史上もっとも独創的な小説の最初のページが剽窃であるこの事実を思い出し、「中世」ではなくルネッサンス時代だとしても、アガンベンのいう通り、「文献学的な感性になじんだ」者たちには、やはり相応のおどろきを禁じえなかったのである。

もしかしたら、ピエール・メナールの作業の「目に見えない」源泉が、バフチンをして「小説の偉大な典型」といわしめた『ドン・キホーテ』の最初のページに隠されているのでは、とさえ思った。現代において「耐えがたい」と非難されるこの行為を、セルバンテスがバフチンのいう「無意識の引用」、あるいはアガンベンのいう「語の現代的な意味で」引用することの不可能性の世界に生きていた著作家だとしたら?……ただの〈読者教〉信者の脳髄はこうした思考をつづけた結果、ついにキホーテよろしく、理性を失うまでに干からびてしまったのだった。

辛うじて一つのイメージを確認する。われわれの詩記列伝にとって欠かせぬ世界劇場は、粕谷栄市の〈世界の構造〉に似た書物である。「ぼろぼろの表紙の分厚い本で、作者も、出版された所も判らない」という一行を、打出の小槌をふって翻訳し直すと、「すべての本は唯一の作家の作品であり、その作家は時も名も限定されていないということが確立している」となろう。

ベンヤミンのいう「テクストの発揮する力」によって「自分の内面の新しい眺めを知る」体験に似たものを召喚するために、さらに〈混在郷〉で若返りの〈ヲチ水〉を求めて打出の小槌をふり直しているうち、一冊の古ぼけた本が浮上してきた。それは、一九七六年四月初版発行の現代詩文庫・近代詩人篇『斎藤茂吉歌集』で、粕谷栄市の「世界の構造」とは異なり、作者も出版された所（思潮社）もはっきりしている。

東北人のはしくれとして鬱然たる大家斎藤茂吉の名を早くから知っていたものの、正直に告白すれば、『万葉集』以来の日本的伝統と、西欧近代の精神と、作者その人の生との完全な融合をなしとげた大歌人の作品世界に、当方はどうしてかとりつくシマを見出せず終いだった。若かった頃、この文庫をいち早く購入したのは、巻末の「研究」に吉本隆明、「解説」に黒田喜夫の名を見たからだったように思う。

わけても、茂吉と同じ山形出身の詩人黒田喜夫の解説「斎藤茂吉の歌――『赤光』にみる日本近代の負荷」に期待したのだが、残念ながら初読時には、プロレタリア文学臭（？）の強い独特の言葉使いと相まった難解な文の運びについてゆけなかった。今でもその感触は否めないが、しかし後にベンヤミンの難読文の中にひときわ光るトレーン語――〈アウラ〉考に接するに及び、魔術的、錬金術的な打出の小槌のひとふりによるコウインシデンス（符合一致）を目撃したとの思いを強くしたのだった。

黒田喜夫の解説文には、当然のことながら茂吉の短歌が数多く引用されている。それらがバフチン的にみていかなる種類の引用なのかをここで詳述するのはできない相談だし、その必要もない。唐突なことをひきあいに出せば、当方は萩原朔太郎があざやかな詩語にとりこんだ竹を愛する。竹林を散策するのが単純に好きなのである。前世は、野山にまじりて竹を取りつつ、万の事に使ったというあの竹取の翁と似た暮らしをしていたのであろうか。

黒田の解説文にある「古い土着共同性の情感とその拘束性を負うと思える短歌なる詩」を、当方は昔も今も竹林のように眺めやる。

黒田が引く茂吉の歌は、むろんほとんどが秀歌なのだろうが、今の当方にとって短歌は、茂吉のそれに限らず、広大な竹林であり、古今を問わず、読み手として時に散策するのは嫌いではない。しかし、「竹の中に、本光る竹なん一筋ありけり。あやしがりて、寄りて見るに、筒の中光りたり。それを見れば、三寸ばかりなる人いとうつくしうてゐたり」（『竹取物語』）という奇なる体験に遭遇するのは奇跡に近い。ひとたび出逢えば、「流れるもののうしろからそれは月した」のような「月読」語（?）をめぐって、アガンベンのいう「著述の形態」としての「註釈」作業をしたくなるのだ。

変若水＝ヲチ水に浸されたわれわれの打出の小槌も、この「三寸ばかりなる人」が放射するアウラのイメージを説くためにもちだしたものである。

ボードレール論の中で、ベンヤミンは、「まなざしには、自分が見つめるものから見つめ返されたいという期待が内在する」としたうえで、「見つめられている者、あるいは見つめられていると思っている者は、まなざしを打ちひらく。ある現象のアウラを経験するとは、この現象にまなざしを打ちひらく能力を付与することである」と書く（「ボードレールにおけるいくつかのモティーフについて」）。

舌足らずを承知でいうのだけれど、当方は、この「まなざしを打ちひらく能力を付与すること」にまつわる一種の啓示を、黒田喜夫の茂吉解説文の中に見出した。それは当方にとって、まぎれもなく「本光る竹」の一筋だった。

敗戦直後の「老残病臥の茂吉が次々に力作を発表していた」頃、「敗戦革命の農民蜂起」を夢見ていたという「飢えて青き十九歳」の黒田喜夫は、茂吉のいとなみなど知ることもなく、またたとえ接することがあったとしても、「それに詩を覚えるのを肯じないで過ぎたであろう」と解説文の冒頭に書く（同じ東北の百姓の倅である当方は、この黒田の屈折した立ち位置に重なるものを覚えたことをはっきり思い出せる）。

文庫解説としてはかなり長めの力作文の後半部分に、「本光る竹」の一筋はあった。それは、茂吉の歌に出現した「異化されているもの」にまつわるひとくだりである。

われわれの世界劇場での乱暴なやり方で、前後の文脈を無視し、たった一行を次に引く。

〈ここでは視る者が歌に表われてくる物に視返されているのだ〉（傍点原文）

茂吉固有の「写生」としてなされた日常詠であることをみとめたうえで、〈その日常は明らかに対象から破られているのであり、その破れ際の「事象に触れる心持の揺らぎ」に向って、逆に現れてくる事象に歌をあけ渡すといった構造で、これらの歌の作者は、それを歌形の根幹にのせ、そこに凝縮し開示しているというふうに見えるのだ〉と黒田は書く。

具体的な歌集の名にもふれぬまま、われわれは、「故意のアナクロニズムと作者の曖昧な想定」によるピエール・メナールの「新しい読書法」を思い出し、その「無限に応用できる」サンプルの一つとして、ベンヤミンの「自分が見つめるものから見つめ返されたいという期待が内在する」まなざしのアウラ考を、日本の詩人黒田喜夫が書いたものと、そして「逆に」黒田の一文をベンヤミンが書いたものとみなして読む「故意のアナクロニズム」を、かのドン・キホーテのように愉しむ。

さらに二筋、「本光る竹」とおぼしき同工異曲の箇所を引いておきたい。当方はこれらによって、茂吉の歌を詩として全的に受取り直すことができたのである。

〈……ここでの作者は、視るとは、それで顕われてくる存在からまた視られることだという視線の構造のやむなさを感得するところに立って、視ることと視られることの切りむすぶ感覚――実存の場の現出において、この歌の根幹を自己に向って立たせていると思える〉

〈……自己分離の心持の揺らぐ感覚の縦深に、対象総体から逆に入ってくる事物を視ることで視られつつ、そこでおこる日常の破れの白昼夢のような瞬時の像を歌形いっぱいにのせることで、歌の作者はそこに耐えているというふうなやむない表現の様相がここに見えるのである。……対象総体（日本近代）からの表現の負荷を、その時期のどんな歌（詩）人もしなかったほどに、自らの歌にひき受けていることが見えるのである〉

当方の記憶では、現代詩文庫・近代詩人篇は、北村透谷にはじまって四十八人にのぼるが、そのラインナップの中で「歌集」というタイトルのものは斎藤茂吉一冊のみである。このことの意味を当方は黒田の一文によって自分なりに納得したのだった。

道化としてなら生きられる

極私的で場当り的、そしてローカルなわれわれの「読み」の反復劇場とは対極に位置する文字通りの世界劇場の原型（その名も地球座）を創出した舞台人シェイクスピアを、「詩人のなかの詩人」と呼んだのはキルケゴールだった。たとえば『ハムレット』について述べた文章にこうある――「世界は進歩するといわれるにもかかわらず、シェイクスピアは追い越されないでいる。そして人は、いつまでも彼から学ぶことができるし、しかも、彼を読めば読むほど多くを学ぶことができる」（『人生行路の諸段階』）。

「アマーガー平原」ふうの場所にあるわれわれの劇場は二十一世紀初頭に仮設されたものだが、十九世紀の思想家の言葉は復唱に値するほど正鵠を得ている。「読めば読むほど多くを学ぶことができる」というその中から、ここでは一つだけ選んでみる。

道化（師）という存在がそれである。

急いで奇妙なことをつけ加えると、道化（師）をテーマとして選ぶのではない。われわれの実存の立ち位置が道化（師）である他ないという意味だ。異端（hèrèsie）の語源 hæresis は〝選択〟にある。われわれが愛惜する根源的詩人は、どんなところか明らかにしていない「アマーガー平原」を実存の場所として〝選択〟する宿業をもつ。読者に愛され「理解」される市場から遠く離れた——異なる端っこにかれは佇つ他ない。

芸術性と大衆性を二つながら兼ね備える世界文学史上類例を見出すことの困難な、刺激的な詩劇ステージ創造者の立つ場処も、この異なる端っこに違いなかったが、シェイクスピア的異端が比類のない世界普遍性のアウラを放つ存在こそ、ユーモアと不可分の道化（師）である。

たとえば世界文学初のメタシアター論を展開するハムレットの座付作者兼演出家としての瞠目すべき演技指導の一端に奇跡の異端ぶりがあらわになっている。例によってメタシアターとは何か、については解説できる人にまかせ、われわれはその〝正統なる異端〟の口ぶりを、少しだけでも以下に書き写しつつもどいておきたい。

「……感情が高ぶって激流となり、嵐となり、竜巻となるときこそ、それをよどみなく表現するための抑制がなければならぬ。（……）だからといって、おとなしすぎるのもいけない。自分自身の判断に従ってくれ。演技を言葉に合わせ、言葉を演技に合わせるのだ。特に厳守してもらいたいのは、自然の節度を超えないこと。何事もやりすぎは、芝居の目的に反する。芝居の目的とは、昔も今も、いわば自然に向かって鏡を掲げること、つまり、美徳には美徳の様相を、愚には愚のイメージを、時代と風潮にはその形や姿を示すことだ。やりすぎたり、いい加減だったりすれば、一般客は笑っても、目利きの客は悲しむことになる。そうした客独りの意見のほうが、お客全体よりも大切だと思ってほしい……」（『新訳 ハムレット』河合祥一郎訳、角川文庫）

まだつづくが、「節度を超えないこと」というアドバイスには従うべきだろう。

詩記列伝と銘うったわれわれの「読み」の世界劇場にたびたび登場させたと記憶する芝居『勝負の終わり』のセリフは、「古い問題が好きだ。ああ、古い問題に、古い答え、それがいちばんだ！」である。正直に告白すると、このセリフにはじめて出逢ったのは、ベケットのその芝居ではなく、スーザン・ソンタグのチャーミングなベンヤミン論を含む批評集『土星の徴しの下に』の扉においてだ。

前衛演劇のスーパースターもハムレット的な「芝居の目的」を共有していたとわれわれは信じる。それは、「昔も今も」変らぬ——「古い問題と古い答え」を映す「鏡」を提出する。ただ、二十世紀的ガレキの山に対峙するベケットにとってその鏡は、アンデルセン『雪の女王』の第一話のトロルの鏡ふうに（二十世紀的悪魔によって）変えられてしまっただけである。

『勝負の終わり』についての手紙（詩・評論集『ジョイス論／プルースト論』白水社）の中で、ベケットはこう書いている——「観客の次元での成功と失敗がわたしにとって重要だったことは一度もありません。事実、失敗したほうがはるかに落ち着けます。ほんの数年前までは、全執筆生活を通じて、あの、人を活気づける失敗の空気を胸いっぱいに吸ってきたのですから」。

「むずかしくて省略が多く、もっぱら文章（テキスト）の力によって人の心にささる」芝居を志向するベケットは、「客独りの意見のほうが、お客全体よりも大切だ」という四百年前の先達の正統なる異端を引き継いだ後継者だった。

観客の次元での成功と失敗が重要だったことは一度もないと言い切る者だけが、ベンヤミン「翻訳者の使命」のプロローグ部分にある畏怖すべき断定——「芸術はそのいかなる作品においても、人間に注目されることを前提としていない。……」を「古い」常識として受け入れる。大英帝国による数百年に及ぶ支配の果てにあらゆるものを簒奪され尽した敗者の国アイルランドに生い育ったベケットは、失敗したほうがはるかに落ち着く、と吐露した。全執筆生活を通じて胸いっぱいに吸ってきた失敗の空気を、「人を活気づける」と形容する者が、生涯の伴侶としつづけた存在——それこそが道化（師）である。

メルヴィルのバートルビーの前身に、ピエールがいた。ボルヘスのピエール・メナールの先駆者であるこのピエールが、われわれの劇場ではピエロといいかえられうる。

当方のいいかげんな記憶に頼れば、ベケット劇の特徴として、言葉の存在感がきわ立つ一方、動きは少ない。まさしくベケット自身がいう通り、「省略が多く、もっぱら文章（テキスト）の力によって人の心にささる」印象である。このねらいを託されたピエロたちが、「観客的次元での成功」を無視できればありがたい……というバートルビーの言葉に似た実存的つぶやきを漏らしている印象も忘れ難い。

翻訳論冒頭部のベンヤミンの衝撃的断定を、若返りのためのヲチ（変若）水を求めるキルケゴール的ゲンテルセン（反復）の対象とするわれわれは、あらためて思う。ベンヤミンの断定は、学術的定義の類から遠く離れた「アマーガー平原」でなされたものだった。その断定をホンヤクすれば、やはり—— I would prefer not to ……にきわまるのではないか、と。

芸術にとっての、読者、観客（聴衆）・鑑賞者——それらをできれば無しで済ませたい。この「無し」のニュアンスを最も大切にするのが道化（師）である。

「読み」の世界劇場語に若返りのための「月読」語を重ねる極私的で場当り的な反復劇場のステージが突然廻りはじめる。現代詩文庫・近代詩人篇の一冊『中原中也詩集』が放射するアウラが気になっているのだが、例によって中也の世界を詳述するいとまはない。数多い中也論に精通していない事情も手伝っているのか、当文庫巻末の鮎川信夫による解説文を今次読み直し、その「パラドクサルな」ポエジーへの理解が透徹したものであることに感心させられた。

鮎川はこんなふうに書いている。

「中也の詩の本質が歌である以上、ダダ的なものは、韻律のうえでは破調となってあらわれ、詩を行為として人格化すれば、道化として現れざるをえない性質のものであった。『在りし日の歌』の「幻影」の「薄命さうなピエロ」は、音声（言葉）を奪われ手真似をする姿であらわれるが、それは極度に内面の危機にさらされた場合における中也自身の自画像であったと解することができる」

もっと多くを引きたいが、「無しで済ませる」ニュアンスを大切にすべくさしひかえ、ハムレットの演技指導のような調子で書かれた、芸術家としての詩人の生き方をめぐる中也の指南書「芸術論覚え書」が同文庫に収録されているので、そのほんのひとくだりを代りに掲げておきたい。

「人がもし無限に面白かつたら笑ふ暇はない。面白さが、一と先づ限界に達するので人は笑ふのだ。面白さが限界に達すること遅ければ遅いだけ芸術家は豊富である。笑ふといふ謂はば面白さの名辞に当る現象が早ければ早いだけ人は生活人側に属する。名辞の方が世間に通じよく、気が利いてみえればみえるだけ、芸術家は危機に在る。かくてどんな点でも間抜けと見えない芸術家があったら断じて妙なことだ」

面白さが限界に達すること遅ければ遅いだけ、その存在感を増すものこそ「薄命さうなピエロ」と中也詩が記した道化師であろう。

「間抜け」の存在感を掘り下げる中也の「芸術論覚え書」にふれたついでに、東北の「でくのばう」志願者の賢治の手になる「農民芸術概論綱要」を並べ、そのアウラの共通点と差異とをめぐり、もう少しの言葉を与えたいところだが、反復劇場の舞台は、すぐにもどってしまう。今は賢治の「どんぐりと山猫」でおこなわれる「めんどなさいばん」をめぐる「でくのばう」的「申しわたし」の文言――「このなかでいちばんばかで、めちゃくちゃで、まるでなっていいないようなのが、いちばんえらい」を思い起こすにとどめる。

芸術にとって道化師がいかなる位置をしめてきたのかについて、われわれの詩記列伝に詳述する力は無い。ただそれが「古い」存在であることくらいしかわからない。

英語の語源にまつわる名著『ことばのロマンス』（ウィークリー著／寺澤芳雄・出淵博訳、岩波文庫）をひらくと、antique（古風な）の二重語であるantic（おどけた振舞い）、悪ふざけ（の）は、まず「古代の」という意味から「古めかしい」「奇妙な」を経て、グロテスクな芸術作品や奇怪な変装などに用いられ、ついで「道化」を意味するようになった、とあり、シェイクスピアの『リチャード二世』が例にあげられる。

王の僭い頭を包む空しい威容を嘲り、華麗さを嗤う道化（antic）が死神のイメージで語られるのが『リチャード二世』だが、われわれは、あらためて、「多義性（曖昧さ）こそは豊かさである」というピエール・メナール中の一行を思い起こす。

anticのひびきは、ウィークリーのいう「二重語」をこえ、多義性のイメージそのものとなってわれわれのゲンテルセン劇場に流れる。

シェイクスピアが拠ったグローブ座のglobeは「球体、地球、天球」の意であるが、父の亡霊と対話するシーンで、ハムレットは「この狂わんばかり乱れた頭」という「頭」にもglobeを用いている。岩波文庫版（野島秀勝訳）の脚注には、「これが地球、すなわち天（大宇宙）に対する地（小宇宙）を指すのはいうまでもないが、グローブ座の観客の耳には、この一語が三重の語呂合せに響いたにちがいない」とある。

こうした多義性のイメージをふまえて、今度は『リア王』（野島秀勝訳、岩波文庫）に舞台を暗転させる。第二幕第三場「とある森」にエドガーが登場して独語するシーン——。

逃げられるだけ逃げのびよう、いい考えがある、できるだけ卑しく惨めな姿に身を窶すのだ、と言うエドガーがどんな人物なのか、はできれば語らずに済ませたいと思うわれわれの脳裡に——Ripeness is all. という「古い問題と古い答え」を凝縮したようなセリフが明滅する。このセリフの主がエドガーであり、これとよく似たひびきの the readiness is all. の主がハムレットだった。しかし、その類似点と相違点について語るのも、われわれの能力をこえる。

さて、没落士族の出の北村透谷が、「客居偶録」の其五「乞食」の章に刻んだ「深く人間を学ぶ」にたえる落魄の会津武士主従の姿を当方に思い起こさせるエドガーの独語にもどれば、そこにひびくのは、古めかしく奇妙でグロテスクなアンティク（道化）特有の言葉づかいだ。貌には泥を塗り、腰にはボロをまとい、髪はもつれ放題、これ見よがしの真裸で、風が吹こうが雨が降ろうが、空の迫害に立ち向かおう、というエドガーが扮するのは、ロンドンに古くからあった「瘋癲院を抜け出した気違い乞食トム」である。この「恰好の先例、見本」は、すさまじい声を張りあげ、痺れて何も感じなくなったおのが剝き出しの腕に、針、木串、釘、ローズマリの小枝、何でも突き立てる。そんなむごたらしい見世物を種にして、貧しい農家や小っぽけな村里、羊小屋や粉ひき小屋から、ときには気違いじみた呪いを浴びせ、ときには神妙に祈りを唱えて、施しを強請り取る。

この後、エドガーは「哀れなターリゴッドでござい！　哀れなトムでござい！　これはいけるぞ。おれ、エドガーは、もういない」と言って退場するが、さいごの科白はわれわれにとって重要なものなので、次に原語を写しておきたい。

That's something yet: Edgar I nothing am.

又も、岩波文庫版の碩学の脚注に目をやると、「この原語も'nothing'である。リアが直面しているアイデンティティ喪失の主題の反復変奏がここにある」と記されており、われわれのゲンテルセン劇場に流れる通奏低音にも重なることがわかる。

碩学のいう通り'nothing'の一語は全幕を通じてさまざまな劇的文脈で、こだまのように繰り返されるが、われわれの劇場ふうにいいかえるなら、没落の果ての絶望的状況を生きるのに唯一の救いとなる実存の形態、それが――かつてキルケゴールがのべた〈根底に向って没落する〉没落士族ならぬ〈没落詩族〉共同体の一員たる道化（師）なのである。

芸術に対して、「古い問題と古い答え」を刺すような言葉で投げかける道化について、最も本質的でブリリアントな論考を残した学匠M・バフチンは、ドストエフスキー論のどこやらで、「言語のサートゥルナリア――すなわち愚者の帽子をかぶった聖なる言語」と記した。どんな文脈で書かれたものか詮索しないまま、われわれの詩記列伝は、性急に、これこそ、詩的言語の正体に肉薄したものだと直感する。

そのバフチンの圧倒的な論述の対象に（種々の制約のため？）のぼることがなかった作家F・カフカは、一九一七年七月二十九日付の日記で、次のように書いている。

宮廷道化師。宮廷道化師に関する研究。
〈宮廷道化師の精神〉の大いなる時代はおそらく終わって、二度と訪れることはない。すべては別な方向を目ざしている、これは否定できない。いずれにせよそれでもわたしは、宮廷道化師の精神を存分に味わってきた、それがいま人類の手から失われるのだとしても。

いかにもカフカ的な「……ない」が顔を出す典型的なニーマント節を、「いずれにせよそれでも」歌いもどきたいわれわれは、さらに、もう一つ、アフォリズムとは別種の、カフカの手になる「詩」作品（一九二〇年後半の「断片拾遺」『夢・アフォリズム・詩』平凡社ライブラリー）と思われるものを掲げる。

わたしの憧れは　昔々だった
わたしの憧れは　現在だった
わたしの憧れは　未来だった
このすべてを抱いて　わたしは死ぬ
街道ばたの番小屋のなかで、この
昔から国有財産だった　直立する棺のなかで。
わたしが生涯を費やしたのは、わたしの生涯を
粉砕せんとする自分を　阻止するためだった。

われわれの劇場も、「街道ばたの番小屋」——「昔から」世界共有の財産だった「直立する棺のなか」にある。愚者の帽子をかぶった聖なる詩的言語の化身といっていい「深く人間を学ぶ」にたえるこれら親愛なるピエール・ピエロが不可視の劇場で漏らすセリフは、各者各様である。

しかし、その背後には、おのが生涯を粉砕せんとする自分を阻止することに生涯を費やすようなただ一人の原型的キャラクターがいる、とみなすわれわれの詩記列伝序説は、『不穏の書、断章』の著者フェルナンド・ペソアに向けられたボルヘスの呼びかけを口真似し、そのただ一人の者に向けていう——「あなたは自分のために書いたのであって、栄光のために書いたので

はありませんでした。私たちは一緒にあなたの詩篇を分かちあいましょう。どうかあなたの友だちであらせてください」。

別の名と別の人格をもつ書き手たちをペソアという文学の場に召喚することで、「直立する棺」のような世界劇場の空間を拓く営みに従事したこのポルトガルの詩人・作家に、私は遅れ遅れで出逢いを果した。二〇〇〇年に思潮社から発行された『不穏の書、断章』すら知らず、二〇一三年の平凡社ライブラリー版に至ってはじめて読みえたのだった。中也ふうに「……に達すること遅ければ遅いだけ……」を口真似したい心持ちだけれど、生前、多くの理解者に囲まれることがなかった――キルケゴールの偽名著者を思わせる〝異名詩人〟の背後にも、「自分自身を罰する者」(ボードレール『悪の華』)にとり憑かれた〈ただ一人の者〉の系譜に遅れ遅れて加わった事実を思えば、ボードレールのいう、「後になってから利息が入ってくるような投資の一種」にも似た詩的な出逢いのサンプルだったともいえるだろう。

II

此情可待成追憶——粕谷栄市頌

（A）の詩についての私の知識は乏しいものだ。ほとんど致命的と言ってよいほどにである。大体、（B）の詩について、何ごとかを私が知っているかどうか、甚だ怪しい。
だから、誰かが私の前で、（C）詩のことを話題にするようなことがあったら、私は曖昧な笑いを浮かべて、沈黙を守るであろう。長く生きていると、人間は、その程度の洗練は、身につけることができる。

だが、例えば、（D）一巻は、私の尊重してやまない書物である。

右は、二〇〇三年刊の現代詩文庫『続・粕谷栄市詩集』所収の巻末エッセイの一つ「滄海月明珠有涙」の書き出し部分を、猿知恵をもって書き写したものである。もったいをつけるほどのことではないので、急いで空欄にした箇所を埋めれば、（A）には「李商隠」、（B）には

「中国」、(C)には「唐」、(D)には「中国詩人選集の『李商隠』」がそれぞれ入る。

猿知恵の持主は、日頃何げなく使っている言葉でも正確なニュアンスについての知識が乏しく、本稿においてもやらかすであろうと予想される「ほとんど致命的と言ってよいほど」の誤解や曲解の過ちを犯すことが少なくない人間なので、あらかじめ手元の新明解国語辞典で確認しておくと、猿知恵とは、一見、気がきいているようで、実際にはまぬけな考えやたくらみを指す。

だが、冒頭の引用文を読んで、そこにほどこされた当方の猿知恵なるものを、一見でも、「気がきいている」と思う人はおそらくいないだろう。ただ「まぬけ」な感じを抱いてもらえれば当方の気が済む、とでもまずは言っておきたいが、その「まぬけ」な感じは、しかしたいていの人に見覚えのあるもののはずだ、とひらき直る時、すでに当方の誤解・曲解に基づく言葉づかいがはじまっている。

間＝アイダの語句が抜けているのでマヌケ文——先の空欄付きの文を、当時の私はそう呼んでいた。当時とは、遠い昔、学生時代の後半と記憶する。肉体労働系の仕事にたちまち耐えられなくなって辞めた後、新しいアルバイトにありつき、半年ほど受験国語の模擬試験問題作成をやらされたことがあった。都心部の狭いビルの一室で、よその大学生や院生と一緒に、作成した問題の検討や校正を一日数時間やった。報酬はなかなかに良かった。しかし、当時の私には、一九七六年刊の現代詩文庫『粕谷栄市詩集』で聞き知った言葉でいう「魂のはなし」(これは吉野弘の詩句を粕谷が引いたものなのだが、私は長いこと粕谷詩のフレーズだと誤解していた）をつづるほんとうの仕事への渇望が芽生えはじめていたことも手伝い、模擬試験問題作りはその渇望と対極のもののように思われた。

新聞や雑誌や新書本などを片っぱしから読みあさり、問題文になりそうなパッセージをさがしては、その文中のいくつかの字句をカッコに入れてみるというようなことをくり返していると、自分で命名したマヌケ文がとりついてくる実感につつまれることさえあった。

もちろん実際に粕谷栄市の文章を問題文にでっちあげたことがあったわけではない。よその大学（たしか英文科大学院生）のＳ・Ｄさんが、詩人粕谷栄市の名をはじめて私におしえてくれた人なので思い出した次第だ。英語の担当であったが、同じ穴のムジナ（？）として半年間、親しく雑談をかわす間柄で、アパートにも遊びに行ったりした。いわゆる穴埋め問題は、国語にも英語にもつきものだったので、なんとなくマヌケ文の話になった折、Ｓ・Ｄさんはそれを〝ブランク・プロウズ〟というニックネームで呼んでいると聞かされたものの、当時、シェイクスピアなどが好んで用いたブランク・ヴァース（無韻詩）なる詩形を指す言葉自体に無知な私に、それをもじった語がすぐにわかるはずもなかった。

＊

続詩文庫所収の別のエッセイ「ダイアン」は、「十年ほど、ろくに詩を書かなかった。いやもっと長かったろうか」とはじまる。「長い空白のあとに、作品を書き始めて、それを続けていることは、他愛がないと言えば言える」という詩人の「長い空白」への特別の思い入れが当方にはある。ブランク・ヴァースなる語がその誤解・曲解に基づいて勝手なイメージをむすんだあげく、ついには中断・ズレを孕むリレキをもつ詩人粕谷栄市を――シベリア抑留という究極の畏怖すべき「空白」体験を強制された石原吉郎ともども――特異な〝ブランク・ポエト〟などと呼ぶことさえあったのだった。

*

さて冒頭の穴埋めカッコ付きの〝ブランク・プロウズ〟のことである。

今、穴があったら入りたいなどとつぶやきながらマヌケ文作りにいそしんでいた当時の私の心情に寄り添って、空欄部分を埋め直してもどいてみると、次のようになるだろう。

「粕谷栄市」の詩についての私の知識は乏しいものだ。ほとんど致命的と言ってよいほどにである。大体、「日本」の詩について、何ごとかを私が知っているかどうか、甚だ怪しい。だから、誰かが私の前で、「現代」詩のことを話題にするようなことがあったら、私は曖昧な笑いを浮かべて、沈黙を守るであろう。（……）

だが、例えば、「現代詩文庫『粕谷栄市詩集』」一巻は、私の尊重してやまない書物である。当方だけでなく、現代詩に関心を寄せる大方の読者にとって、とりわけ初期の詩文庫が放つアウラにはイワク言いがたいナツカシサがはり付いていることが多いと思われる。私の場合、しいてそのイワクに形容語を付けるとすれば、「極私的な」となろうか。鮎川信夫の高名な詩篇「橋上の人」を拝借すると、——「ちぎれたボタンの穴にだって／いつも個人的なわけがあるのだ」。

粕谷栄市の二つの詩文庫の刊行年によって単純計算すると、当方のパスティシュ（?）の対象文が収録された「続」文庫との間には、二十七年の歳月が横たわる。右のパスティシュ文中、（……）は、冒頭に記した通り、「長く生きていると、人間は、その程度の洗練は、身につけることができる」であるが、当時の心情に寄り添った文においてこれを除いた理由は書くまでもあるまい。

これまで言及をのばしていたわけでもないのだけれど、一九九一年すなわち詩人粕谷栄市五十七歳時に発表された先のエッセイ「滄海月明珠有涙」には、この（……）と同工異曲の一文が、リフレインのように、以下、二回顔を出す。その部分のパッセージを次に引いておく。

「驚くべきことは、千年の時間を経過して、異邦において、なおその詩が、今日生まれたもののように新鮮で刺激的であること」にふれたうえで、粕谷は書いている。

千年はおろか、僅かな年月を経過すると、その詩と対するものは、雲散霧消することのあり得る粕谷栄市氏のことなど思い浮かべると、若干淋しい気持を抱くが、それはそれでよいのである。個人が、おのれの身の程を知って、何ごとかを愛して、そのことに努力するのは良いことであり、詩を書くということは、それほど他人に迷惑をかけないで済む。

長く生きていると、そして足かけ三十年も詩を書こうとしていると、人間は、この程度の分別は、身につけることができる。

当方が『続・粕谷栄市詩集』を手に取ったのがいつだったか正確に思い出せない。分別が身に付いていて当然とされる不惑をすぎた頃のような気がするけれど、若年時に出逢って以来「尊重してやまない書物」であり続けたハジメテの詩文庫のほうと比較した場合、茫漠とした印象である。

三十年以上も生きてきて、「お前は何をしてきたのか」と問うあの中也詩の風にあてられた男は、ついにまともな詩を一つも書くことができなかったにもかかわらず——あるいはそうであるがゆえに、右の文中の「個人が、おのれの身の程を知って、何ごとかを愛して、そのことに努力するのは良いことであり……」のようなひとくさりが、深く心身に沁みた。この〝粕谷節〟に私が感じとったものについて、私はたぶんマト外れであるに違いない次のような中也詩『山羊の歌』所収の一節を重ねて読んだりもした。

〈否何れとさへそれはいふことの出来ぬもの！／手短かに、時に説明したくなるとはいふものの、／説明など出来ぬものでこそあれ、我が生は生くるに値ひするものと信ずる／それよ現実！ 汚れなき幸福！ あらはるものはあらはるまゝによいといふこと！〉（「いのちの声」）

＊

エッセイ「滄海月明珠有涙」の中のリフレインの三番目が登場する一節を引く。

李商隠の詩のことは、全て、李商隠の詩に語らしめよ。直接取引でしか、詩は、人間と人間を結ばない。全ゆる詩の事実の鉄則を、と言っても、私がそう言っているだけだが、栖にとって、私は、私自身に逃げ帰る。

長く生きていると、人間は、この程度の猿知恵は身につける。つまり、私は別のことが言いたいのである。

それは、詩の不思議の魅力の謎と呼ぶべきものに就いてである。それは、ある意味で、私の蒙昧の功徳について、強弁することかも知れない。

例えば、無数の典拠と、彼の生きた現実の言語と深い関わりを持つ、李商隠の詩篇は、そのために、深く内容の多義性を蓄え、まことに難解であると言われるが、逆に、そのことによって、はかり知れぬ魅力を内蔵すると言ってよい。

「つまり、どうやら詩は全ゆる解釈を超えたところで、なお意味を持つと言うことでしか成立しないものらしい。思いがけず、どこかで何度も聞かされたことを言い出したものだが、真実は、真実である。李商隠の詩についての私の場合、誤読そして誤解と呼ぶものから、一切が始まっているようだ。どうも、私にとっては、一向それで差し支えなさそうだ」とつづく文を、私は、さいごまで〝念写〟したいとすら思う。そうして、かのボルヘスが創作した『ドン・キホーテ』の著者、ピエール・メナールの作業に宿る「蒙昧の功徳」を引き寄せたあげく、「粕谷栄市の詩のことは、全て、粕谷栄市の詩に語らしめよ」と口真似したいのだ。ここなる猿知恵の持主は、他ならぬ敬愛の対象に限り、反復をものともしないばかりか、猿真似を愛する。彼の生きた現実の言語と深い関わりを持つ、粕谷栄市の詩篇は、そのために、深く内容の多義性を蓄え、まことに難解であると言われるが、逆に、そのことによって、はかり知れぬ魅力を内蔵すると言ってよい、というように。

「長く生きていると」ではじまる三つのリフレインをあらためて口遊んでみると、通常のホップ、ステップ、ジャンプふうの跳躍への期待が転倒される感覚につつまれる。私は粕谷詩の内実に踏み込まずに本稿をつづり、〈私は、私自身に逃げ帰る〉という実存の名セリフをパスティシュする虫のよすぎることを願っているのだけれど、長く生きていると、洗練と分別がある程度身に付くというホップ、ステップに看取されるヒューマニスティックな感じが、猿知恵の一語が顔を出すに及んで、ヒューマニティはたちまちカフカ的変身の事態に見舞われてしまう。
この事態と、できれば粕谷詩の内実に踏み込まずに本稿をつづり終え、〈私は、私自身に逃げ帰る〉というモンテーニュを思わせる名セリフを口真似したい当方の願いはどこやらでつながっているはずである。

*

私は、一九七六年刊の現代詩文庫『粕谷栄市詩集』を二冊所持している。M・プルーストのいう〈魂の初版本〉と化した一冊は、書棚の奥に蔵われた状態、もう一冊は、折にふれて読みかえすためのもので奥付をみると一九九八年第六刷とある。この二冊は当然ながら同じ装幀だけれど、中身を見比べてみると字体が微妙に違う。いつから変ったかはわからないが、印刷所も製本所もべつの名前になっている。この詩文庫がなぜ当方にとって〈魂の初版本〉となり、今も「尊重してやまない書物」なのかという「個人的なわけ」についてはすでに思いの一端を本誌（「現代詩手帖」）にもらしたことがあるので省かせてもらうが、私は『粕谷栄市詩集』一冊を機縁に現代詩文庫の沃野に足を踏み入れることによって現代詩への入門＝イニシエーションをなしえた人間なのだった。

又しても猿知恵による口真似をすべく、〈魂の初版本〉のエッセイ「やさしい詩の書き方、生きゆくための詩」を引き寄せる。アンリ・ミショー詩集との出逢いを語った一節を転写しておきたい。

〈詩を読むことが好きなだけの学生であった私に、それは例えば「やさしい詩の書き方」と呼べる入門書の役目をした。誰でも、わがいいいいいを書くことができる。つまり、私が、それまで読んだ詩の確かさに圧されて、到底、詩となり得ぬものと考えていた、私だけの夢、私だけの独白、私だけの記録が、或いは、詩となり得るものを含んでいることを知ったのである〉(傍点原文)

ミショーの詩が、強く主張する「自己との直接性」が「貧弱な私の貧弱な詩となり得るものを触発してくれた」、「一切の自分の詩は自分に固有のものからしかはじまらない」ことを、ミショーほど直接的に且つ優しく、示している詩人を他に知らない……と書く詩人粕谷栄市の詩集一冊によって、若年の私も、貧弱な詩嚢に向きあうことが一時的にもせよ可能になった。だが、当方の場合、粕谷とは異なり、短かからぬ歳月、かなりの数の詩篇を産出しはしたものの、ついに「雲散霧消する」レベルのものしか書けず終いだった。

にもかかわらず私は、又しても粕谷節をうたう――そのことを「思い浮かべると、若干淋しい気持を抱くが、それはそれでよいのである」と。あるいは中也節をかりて、こううたい直してもいい――ついに無駄骨に終ったその振舞いの意味について「説明など出来ぬものでこそあれ」「生くるに値ひするもの」だった、と。
『粕谷栄市詩集』所収の未刊詩集『副身』中の一篇「献身」の最終行をさらに端折って引けばこうだ。

……私は、何もかも革めることなく、しかし、一切を、烈げしく、新しいものとしたいのである。

キルケゴールの〈反復〉＝受取り直しのイデーを思わせるこのキワメツキの一行を、私は幾度となく宗教の題目のように唱え続けてきた。いや、宗教の題目にたとえるのは、適切でないと思い直す。『続・粕谷栄市詩集』所収の詩集『化体』中の、当方偏愛の一篇「妄想蛙」よろしく、「どこかで耳にした旋律が、俺のからだの芯で、疼くように、鳴っている具合だ」という状態に近いのだから。
同篇の最終行はこうだ。

つまり、俺は、一匹の妄想蛙、世紀末の黒い蝙蝠傘をさして、今日、誰もが、一度はなることのある、でたらめな生き物だ。死ぬまでに、誰もが、一度は罹って癒ることのない、生活中毒の幻覚の一つだ。

＊

猿知恵を自家薬籠中のものにしたつもりの、新世紀の「一匹の妄想蛙」が、「でたらめな生き物」に特有の「生活中毒」病を癒すべく、「からだの芯で、疼くように、鳴っている」旋律を思い出そうとする。たしかにそれは「どこかで耳にした」ことがある。

たとえば、『続・粕谷栄市詩集』所収の詩集『悪霊』の中にそれをさがしてみる。


この世を去る前の何年かは、好きなところで、好きなことをして暮したい。何もかも我慢して生きてきたのだから、さいごは、狐みたいに自由になるのだ。

（「辞世」）


孤独の世界に、長く生きていると、能力のある人間はどんなことでもできるようになる。宇宙と肉体を一致させる、強烈な超越の力を、自分のものにするからだ。

（「肉体」）


この時代の日々を、永く、孤独に生きねばならぬ者にとって、注意しなければならぬことは、そのことが、彼自身にもたらす偏った嗜好である。

（「模造」）

孤独に生きている人間にとって、何よりも大切なこと、それは自分を悦ばせることだ。
賢い人間なら、いや、そうでなくても、そのための努力をしなければならない。

（「悦びについて」）

もうやめておくが、粕谷栄市がかの風羅坊芭蕉の言う「只此一筋に繋る」風雅の誠を盛り込む形式として実存的に、、、、選択した散文詩群のいずれからでも、「どこかで耳にした」ヒューマニスティックに聞こえる一部分を引用する行為が「でたらめな」性質を帯びてしまうことが、これらの例示で十分明らかになると思われる。引用箇所の後続部分を読み、「辞世」「肉体」「模造」「悦びについて」の四篇全体を舌頭に千転させるなら、である。

読者が近代詩的蛙なら、引用部分の「自由」や「孤独」の語を目にして、ヒューマニスティックな人生論につきもののホップ、ステップ、ジャンプを期待せずにおれないだろうが、現代詩的な「一匹の妄想蛙」は、それらの語をホップ、ステップしたのち、ファンタスティックな〈反世界〉へ跳躍をおこなうに違いないと覚悟を固める。当方の稚拙で奇怪な造語を用いるなら、粕谷詩への形容語は、ヒューマニスティックを「超越」した〝ヒューマニアック〟がふさわしいと思う。私は、ここでおそまきながら猿の名誉のために申し添えるが、粕谷が用いた「猿知恵」も、辞書的定義を超越した――ヒューマニティと重なる通常の知恵と区別されるヒューマニアックなソレとして〈反復〉＝受取り直した次第だ。蕉風俳諧のポエジーを共有する人なら、特異な知恵を持つその猿に、〝小蓑を着せて現代詩の神を入れる〟とでも言うであろうか。

＊

事実この私は、つい先頃奇跡的僥倖により入手しえた非売の詩誌「森羅」創刊号（二〇一六年十一月刊）所収の二篇「象のはなし」「死んでいる猿」を読んだ際、粕谷詩におなじみのカフカ的にヒューマニアックな動物像に、〝現代詩の神〟が入っていることをあらためて実感させられた。「心に深い悩みがあって、それでも、何とか、日々をやり過ごして、生きてゆかねばならない。そんな人間に必要なことといえば、自分を慰めることだ」という「象のはなし」の書き出しは、すでに引いた『悪霊』の四篇のひとくさりと同工異曲である。「死んでいる猿」には「何かに追い詰められ、深い悩みに打ち拉しがれている男」の悪夢に姿をみせる死猿に向けられた叫びがこう記される――「猿よ。死んだ猿よ。それでいいのか。一切が、このまま、終わってしまっていいのか。お前は、このおれだ。そうだ。今の惨めなおれの、さらに、惨めなどうしようもない血のまぼろしだ」。

＊

悪夢の猿も、「一匹の妄想蛙」も、つまりは「生活中毒」病のシンドロームの中に永久の棲処をもつモノノケとして同類の存在だという他ないが、そうした癒らない病におかされたわれわれに、粕谷詩がヒューマニアックな〈反世界〉の地平でそっとさし出す——あのケストナーとはオモムキの異なる〝人生処方薬〟は、ほとんど冗談に近いシロモノだ。冒頭でふれたエッセイの後半部を、コンテクストを無視したまま、次に写しておきたい。

ここの数行はもちろん冗談だが、詩の興味深さには、言って見れば、詩と人間の出会いに関して、深いところで、偶然の魔力の作用のあることを感じる。たぶん、何ものかのユーモアなのである。

前記「象のはなし」には、やはり——〈すべて良きものは三つある〉とでもいいたげな霊媒師もどきの三度にわたる呪言のような言い廻しが登場する。すでに引いた書き出しの次は、「心に深い悩みをかかえて生きている人間には、……」、そしてさいごは、「心に深い悩みを持つ者は、他人の知らない別の世界で、何度でも、笑いながら、楽しく死ぬことできるのである」。

私はこのエピローグ部分に、「何ものかのユーモア」——当方好みに言いかえればヒューマニアックなヒューモアを看取し、強く胸うたれた。かつて「石原吉郎の思い出」（『石原吉郎全集』

Ⅲ月報）なる一文に、粕谷栄市は「泣きながら、彼は死んでいったのだ」という忘れがたい言葉を刻んだことがあったけれど、「心に深い悩みを持つ者」が「笑いながら、楽しく死ぬこともできる」可能性に思いを馳せ、アンリ・ミショーの詩を〈生きゆくための詩〉と呼んだ詩人独自の〝人生処方薬〟のサンプルを見出したのだった。

＊

エッセイ「滄海月明珠有涙」の後半には、「偶然の魔力の作用」とつながる「何ものかのユーモア」のサンプルとおぼしきエピソードが二つ紹介されている。

一つは、アンリ・ミショーと並んで粕谷詩に深く根源的な影響を及ぼした石原吉郎が語ったという般若心経の誤写の伝承について。原典の書写にあたった僧侶が「無無明亦無無明尽」の一字を誤写した事実によって、途方もない年月おこってしまった厖大な信仰のリアリティ――に関し、粕谷は「石原の生きた時代の断裂と、彼の詩の灯は、それに重なる」と簡潔に註記する。

もう一つは、晩年の西脇順三郎が熱中していた仕事についての伝聞で、粕谷によれば「それは、ギリシア語やラテン語、漢語、日本語、英語、さまざまな言語の発生の同根を探索されることで、そのほとんど茫洋と結末のない仕事のために、詩人は、印刷のむずかしい、膨大な量の原稿を書かれていた」というもの。

「どちらの話を聞いたときも、私は、何日も、幸福な気分で過ごした」と粕谷は書く。
誤解・曲解にいささかの能力をもち、「結末のない仕事」「印刷のむずかしい、膨大な量の」文字を日々せっせと書いてあきないここなる一匹の妄想蛙にも、その「幸福な気分」は伝染したのだった。

以上、かんじんの粕谷詩の〈世界の構造〉の全体像に触れもみでかなしからずや、一篇のエッセイを中心に寄り添ってきたほとんど冗談に近い本稿だが、そのタイトルも、エッセイが「悩ましい商隠の豪奢な」と形容したのと同じ李商隠の詩篇からかりて「此情可待成追憶」とさせてもらった。

今、手元に二〇〇八年刊の岩波文庫『李商隠詩選』（川合康三選訳）があるので、その巻頭に置かれた「錦瑟」から、粕谷エッセイが引いている二行の読み下し文を写すと――「滄海　月明らかにして珠に涙有り／藍田　日暖かにして玉　煙を生ず」となる。

拙文のタイトルはこの二行の次、詩篇最終の二行――「此の情　追憶を成すを待つ可けんや／只だ是れ当時　已に惘然」である。

教養が穴だらけなので、ついでに、拙文が拠る二行の現代語訳を、新旧二種類掲げておきたい。

一九八六年の岩波文庫『中国名詩選』（下）〔松枝茂夫編〕では、〈あの時のわたしの心情は、せめて追憶の中に辿れるものと期待できるであろうか。いやいや、とてもとても。なにしろあの当時、わたしはすでに恋い呆けて、心は空ろになっていたのだ〉。

一方、二〇〇八年刊岩波文庫では、〈この思い、いつか振り返ることができるだろうか。その時、すでに定かでなかったこの思いを〉となっている。この文庫版によれば、〈従来の解釈は過去のことを今の時点で追憶できない、とするが、現在の思いが将来追憶できるものになるだろうか、と解する。すると次の句の「当時」は過去とも現在ともとることができる〉そうである。

「詩は全ゆる解釈を超えたところで、なお意味を持つと言うことでしか成立しない」という猿知恵から遠く離れた粕谷栄市の言葉を引いたにもかかわらず、こんな蛇足を加える汚れっちまった散文野郎の拙文に宿るのは辞書的定義の猿知恵である。

私は、若年の日々『粕谷栄市詩集』と出逢った「当時」を憶いおこしたうえで、商隠詩中の「当時」なる一語の含みに、「何もかも革めることなく、しかし、一切を、烈げしく、新しいものと」する「強烈な超越の力」を看取し、名状しがたい「幸福」感を抱いた。ただそのニュアンスを書き足したかったのだが、できることなら、「ちぎれたボタンの穴」みたいな「穴」に棲みなす「でたらめな生き物」の心で、「当時」とある部分を穴埋め不可能な空欄——本稿で寄り添った粕谷エッセイを再びかりれば、「自分が生きていると言う事実と等量の幾ばくかの、永遠の謎を含有している」ブランク——のままにしておきたい。「穴」を埋められると、妄想蛙の棲み処も消失してしまう気がするのである。

〈帽子病〉の四十年——粕谷栄市ノート

「アマーガー平原に、私は、一度も行ったことがない。一生、行けることはあるまい。亡くなった方の書きのこしたもので、知るだけだが、私には、とても懐しいところだ」とはじまる粕谷栄市の「啓示」は、私にとってとても懐しい詩篇である。

その懐しさの根源を思う時、私はまた「ひどく幸福な気分になる」。

この幸福な気分をめぐるカタコトの引用は、「啓示」が収められた詩集の表題作「世界の構造」中のもので、「啓示」の前に置かれている。ちなみに「啓示」の次は、「メルサコフと言う医師が発見し、自己の名を冠した病気に、メルサコフ氏病と言うものがある。別に、彼が、煉瓦病とも呼んだ、人間と馬だけが罹る病気だ。／理由なく、唐突に、暗黒の煉瓦のように、全身が、ばらばらに崩壊する症状である……」とはじまる「メルサコフ氏病」だ。

現代詩文庫67『粕谷栄市詩集』の二十六頁から二十七頁にかけての見開きに、三つの詩篇

（の一部）がのっていて、極端にいうと、この見開き一枚の中に、学生時代の当方が味わった詩的な懐しさと幸福な気分が凝縮されているように思えてならない。

じつは、ある日別の学校に在籍する友人が唐突にやって来て、詩文庫のこのページをひらいて見せ、アマーガー平原というところを知っているか？　と訊ねたのだ。およそ四十年余り前のことである。

友人が指で押さえた見開き二頁をノートに全部、コピー機の力に抗うような心で筆写したのはずいぶん後になってからだったと記憶する。ここでは、かけがえのない〈アマーガー体験〉ともいうべきものを反復するため、せめて問題の「啓示」だけでも書写し了せてみたい。この一篇の中に、当方自身の詩的「啓示」が封印されていると、遅れ遅れて気付いた次第だからである。

冒頭部のつづきはこうだ。


典雅な白雲の丘がつづき、そこには、見渡すかぎり、沢山の豚小屋がある。その全ての丸太の柵は破れ、天から降ったように、数知れぬ豚たちが遊んでいるのだ。

日が当たり、彼等は楽しそうだ。その一匹は、砂を浴びている。その一匹は、土管をなめている。その一匹は、豚小屋の屋根にいる。そして、彼等は、美しく交接もする。

至高のものが、愛されるのであろう。この平原に、その他のものは何もない。私ならば立てるであろう。その一番高い丘の上に、一つの立札を。「アマーガー平原」と。勿論、それもない。

ただ、おそろしく、汚ない服の男が、ひとり、そこに寝ている。そう呼ぶならば、おそらく、彼は、豚の番人であろう。しかし、彼は眠っている、帽子を顔に乗せて——。いかなる黄金も、彼の平和と怠慢に及ぶまい。いかなる詩も、彼の帽子に匹敵できぬであろう。この平原を、永遠に、昼は去ることがないのだ。

生きることが苦しい時、よく私は、自らに呟く。「アマーガー平原」と。

私は、何も知らない。が、いみじくも、今から百二十年前、確かに同じことを、呟かれた方がいる。無学な私は、時々、その名を間違えるが、たしか、キェルケゴール氏と言われる。

生きることがとりわけ苦しかった頃を思い出しながら、以下、「何も知らない」実存の原点に佇むこの美しい詩篇の前で、私は石原吉郎の言う「いわれなき註解」者となる。

友人が私に訊きただそうとしたいわれは、当時、愚かにも入学し直した大学の哲学科で「キェルケゴール氏」を研究したいと私がしゃべりちらしていたからだと思われる。

この質問に、私は何も答えられなかった。むしろこの問いのアマーガー平原なるものが強く印象に刻まれ、遅れ遅れて、それが登場する原テキストのアウラにうたれたのである。みずからの内なる詩人を信仰者へと高めるための闘いにあけくれたキルケゴールの公的著作のデビュー作といっていい大作『あれか、これか』のオープニング——キルケゴールが創作した詩人気質の男のアフォリズム集「ディアプサルマータ」の初っ端にそれは出てくるのだが、私がこの大作を曲りなりにも読み通したのは、数年も後のことだ。

詩人気質の男は、記念すべきオープニングの詩的断章のハジマリで、詩人とは何か？　という自問に自答した後、しめくくりに「だからぼくには、詩人となって人間どもに誤解されるよりは、アマーガー平原の豚飼いとなって豚どもに理解される方がましだ」と記す。

粕谷の「啓示」最終部は、見ての通り、生きることが苦しい時に「アマーガー平原」と自分が呟く——それと「確かに同じこと」を、「キェルケゴール氏」が……と記されているだけで、当方が引いた詩人気質の男の呟きにはふれていない。一九七一年に刊行された第一詩集『世界の構造』所収の詩篇には、ただ、豚の番人と推測される「おそろしく、汚ない服の男が」、見ての通り「帽子を顔に乗せて」眠っている、とあり、いかなる黄金も彼の平和と怠慢に及ばず、いかなる詩も、彼の帽子に匹敵できない、と書かれているのみだ。

私が仮に、友人の訪問以前に『あれか、これか』巻頭のアフォリズム集を読みえていたとしても、質問に十全な答えができたとは思えない。

その後、現代詩文庫『粕谷栄市詩集』を購入して、件の見開き二頁だけでなく、巻末の一九七六・二・二十七という日付のあるエッセイ「散漫なおぼえ書き――来歴について」も読むに及んで、私はある種のどよめきのような心持ちに染まった。粕谷はその冒頭に「いまはうろおぼえの文章だが、それは確かアンデルセンの自伝に出てくるキェルケゴールのことば」として、「私は詩人となり、人々の共感と讃辞に囲まれて生きるよりは、アマーガーの平原で、豚の番人となり、豚たちの友愛と共感をかち得たい」を引いたうえで、「それをひどく気に入っていた私は、そのことから、「啓示」という作品を書いた」と、詩篇の背景を回顧するふうに書いていた。

『あれか、これか』のアフォリズム中の言葉と、「アンデルセンの自伝に出てくる」というキルケゴールの言葉は、微妙な異同があるけれど、今はさしたる違いはないものとみなすことにする。

＊

友人に話したかどうかうろ覚えだが、あの時点で、『あれか、これか』を通読していなかった私は、デンマークの首都コペンハーゲンへの肉や野菜の供給地として名高いアマーガー平原と比較すれば、おそらく無名に近いもう一つの土地の名前――ギーレライエを、早くから知っていた。コペンハーゲンの位置するシェラン島の北端、北海につながるカッテガート海峡をへだててスウェーデンをのぞむ荒涼とした漁村ギーレライエで学生キルケゴールがしたためた〝実存の原体験〟をめぐる手記はキルケゴール思想の出発点として特記されるが、流行外れとなって久しい現在、奇特な愛読者以外知られてはいないだろう。

私は二十年近く前、アマーガー平原をじっさいに訪れた折、その荒涼とした漁村にも足を運んだ。

カッテガート海峡に面して切り立つ二百メートルほどもあるギルベーアという名の断崖の小高い場所に立った二十二歳の青年キルケゴールは、「この私に欠けているのは何か?」という問いの風に身をさらし、決然と答えた——私に欠けていたのは、私が何を認識すべきかではなく、私が何をなすべきかについて、私自身で決着をつけることなのだ。……この私にとって真理であるような真理を発見し、この私がそのために生き、死にたいと思えるようなイデーを発見することが必要なのであって、いわゆる客観的真理などをさがし出してみたところで、それがこの私にとって何の役に立つだろう。学説をつなぎ合せて一つの体系にまとめあげ、一つの世界を構成しえたところで、ただ他人の供覧に呈するだけだとしたら、私にとって何の役に立つだろう。……

若い情熱の息吹と力こぶが込められたいわゆるギーレライエの手記は長文であり、右に引いたのはほんのカタコトであるが、本稿のテーマに即してくくってしまえば、キルケゴールにとっての〈世界の構造〉の基礎論ともいうべきものだ。〈私は私の思想の発展を、客観的と呼ばれるもの――つまりは私自身によらぬものの上に基礎づけるのではなく、私の存在（実存）のもっとも深い根源となるものに根をおろし、たとえ全世界が崩れ去ろうともそれにしっかりとつかまっていられる、そういうものの上に基礎づけること〉の重要性にふれたものだ。

このギルベーアの断崖での〈世界の構造〉をめぐる思索から八年後の三十歳時に刊行された大著『あれか、これか』に登場する詩人気質の男がアフォリズムのハジマリに記したアマーガー平原の豚飼いに寄せる思いは、当然のことながら、広義の虚構の中で吐露されたものである。詩人気質の男はそのままキルケゴールではないし、男も、そしてキルケゴールも、実際にアマーガー平原の豚飼い生活を体験したわけではない。若きキルケゴールが日誌でしばしば嘆いたように、それらはあくまで夢想であり、接続法的な世界でしか生きられない願望にすぎない。

詩人＝文学者としてのあり余る才能に恵まれたキルケゴールは、接続法的な世界の構造を、ギーレライエ村のギルベーアの断崖の原体験によって、生涯に渡り、鍛冶屋が鉄をうつようにうちつづけた。「たとえ全世界が崩れ去ろうとも」、その基礎付けの作業をやめなかった。

＊

さて――、私はしかし、この私にとって青春の詩人粕谷栄市の第一詩集『世界の構造』と、キルケゴール思想の連関を基礎付ける作業を本稿でめざしているわけではない。何より、粕谷の詩それ自体が、そうした作業に背を向けるだろう。

キルケゴールとの出逢いということであれば、粕谷が兄事した石原吉郎に目をむけるほうが、その連関をめぐって「客観的な」ことをさがし出せる可能性が高いだろう。

キルケゴールが「啓示」をうけた二つの土地の名、アマーガー平原とギーレライエ村〈のギルベーアの断崖〉をめぐる思いを、粕谷栄市の第一詩集にむすびつけてしまうのは、私自身のかけがえのない、しかしあくまで接続法的な〈世界の構造〉の中のヨミの体験がなさしめるものである。

このヨミの体験から生れる夢想が、たぶんにドン・キホーテ的な性質を帯びることも承知している。つまり、それは一種の病なのである。狂愚の読者たる私は、先にふれた粕谷の詩集『世界の構造』の中の、二ページから成るたった一切れの紙片に、この私にとっての〈世界の構造〉がみてとれる、などと妄想する。

粕谷の第一詩集の表題作は、「世界の構造」——書物のタイトルである。ずっと以前に、田舎町の古物屋で、柄のとれた火桶と一緒に買わされたそれは、「ぼろぼろの表紙の分厚い本で、作者も、出版された所も判らない」しろもので、しかも、内容は、題名と全く関係がなく、「書かれているのは、多分、豚の育て方であろう」と、詩人が仮構する「私」は語る。「私」が、この書物を愛するのは、「行なわれなかった事柄ばかり」記された「豚の生活への提言」を盛るその本の「どの頁をも、おそろしく下手な一枚のさし絵が」あるためだという。さし絵はどれも同じで、「日の当る一本の円い樹を背景に、一人の男が、よく太った豚を抱いて、笑っているもの」で、それを眺めていると、「何故か、私はひどく幸福な気分になる。柄の取れた火桶のように、一切を許して悔いなくなるのだ」という。

既述のように、この表題作の次に、「啓示」、そして「暗黒の煉瓦のように、全身が、ばらばらに崩壊する」病にまつわる一篇「メルサコフ氏病」がつづく。

詩篇「世界の構造」の「一人の男」が、「啓示」の「おそろしく、汚ない服の男」と同一人物かはともかく、少なくとも同類であることは誰の目にも明らかだろう。いかなる詩も「匹敵できぬ」と詩人が断言する豚の番人が顔に乗せた帽子のリアリティにひとたび捉えられた者は、第一詩集所収の一篇「坑道」に描かれた「病気のようなもの」に取りつかれざるをえない。「他人は、既に、廃鉱としか呼ばないが、今でも、私が、私の鉱山の採掘を止めないのは、そのための私の長い坑道の故である」とはじまる「坑道」を、私はこれまで、時にギーレライエの手記の変形として、また時には、キルケゴール思想の小説的変身を生きたカフカの超短篇「掟の門」や自伝的作品「巣穴」の現代詩版として読んだことがある。

「損得からでは、完全に引き合わぬのだ。もともと、私の鉱山は、他人がいい、いものを掘り尽したあとのものだから。情無いが、それだけで、私には、全てだったのである」とつづくこの「鉱山」が、アマーガー平原もしくはギーレライエの断崖ふうの場所にあるように私には思えてならなかった。

「素人の私の技術では、それは自然に屈折するし、必ず、誰かの捨てた坑道につき当たるから、連なって、非常に長いものになる。坑道から、坑道へ、それは、私にさえ、自分が何処にいるか、容易に判らないものになったのだ」という不安を洩らしつつも、「私」は断言する。――「しかし、私の坑道は、それ自体、一つの世界なのだ」と。「自分だけの暗黒の灯を点し、そこで、何かを掘っていると、私は、全ての不安を忘れるのである。敢て、私の労働に係わりなく、それは、私の尨大な資産なのだ」と。

最終行を端折って引くと、「私の鉱山で、そして私の坑道で、私が、探しているものは、人間の肉体の、多分、病気のようなものだ」である。

若年の私のアタマではなく、ミゾオチのあたりに深く沁み込んだ詩篇「坑道」を、一種稚拙な読み方で受取り直す私の中で、ギーレライエの手記に頻出する「私」という語が反響を広げ、掘っても掘っても安住の巣穴が得られず不安につつまれる「巣穴」の小動物が近づいてきた。「損得からでは、完全に引き合わぬ」とわかっていながら、「それ自体、一つの世界なのだ」「何かを掘っていると、私は、全ての不安を忘れるのである」と復唱しつづけていると、廃鉱のような〈掟の門〉前にいる自分を見出した。読者の私にも、「病気のようなもの」が伝染したのだった。

＊

今、手元に、二〇一六年十一月創刊号から二〇一八年一月の8号まで、計八冊の「森羅」誌がある。この名状しがたい味わいをもつ非売の手作り誌に、齢八十をすぎた粕谷栄市は毎号、作品を寄せている。およそ四十年近く前の当方に伝染して以来、今日に至るまで取りついて離れぬ「病気のようなもの」を、たとえばその4号の一篇のタイトルをかりて、〈帽子病〉と読んでみてもいいかもしれないと思う。

帽子病とは何か？　それは、「気がつくと、帽子をかぶらずにいられなくなる、病気である」と同時に、「さらに面白いのは、その逆に、気がつくと、帽子をかぶっていられなくなる、つまり、無帽でいたくなる場合もあること」だと詩人の操る話者は語り出す。

「即ち、帽子をかぶっていてもいなくても、帽子病にかかっていることがあるわけで、そうなると、誰が、帽子病になっているのか、そうでないのかわからない。要するに、一度、この病気の存在に気がついた者には、この世の全ての人間が帽子病だということになる」

ばかばかしくはなしにならないという人もあろうが、「実は、当人が忘れているだけで、彼自身が、既に帽子病の経験をしていることが、多々、あるので、そうたやすく割り切ることはできないのだ」。

もしかしたら——と、帽子病にかかって四十年にもなんなんとする当方は、思う。この国で今、切実な社会問題となっているありふれた忘却病のことなども話者は念頭に浮かべ、ひそかに舌を出しているのかもしれない、と。しかし、この病を「そうたやすく割り切ることはできない」とすぐに思い直したうえで、声に出して幾度も誦んだ詩篇後半を、以下に写す。


……一口に帽子といっても、古今東西、数も種類もさまざまで、それに応じて、帽子病のありかたも変わるらしい。帽子病の世界は、滅法、深く広くなるのだ。

これらの事実から、帽子病について、思いを巡らすことは、そのまま、人間について考えること、人間とは何かを考えることだと、声をあげる人々も出てきた。

なんとも変な逸脱への赴きだ。人間とは何かなど、普段、誰もが頭に置いていることではない。いつの間に、帽子病に伴うものになったのであろう。

ただ、この病気になるのは、無帽の男女である場合が、極端に少ない。何かおかしい。帽子病には、色々、怪しいところがある。だが、人間とは何か、考え方によっては重大なその題目を蔑ろにするわけにもゆくまい。

帽子病に追い詰められ、答えを求めて、誰もが、思わず頭をかかえる。帽子のことなど、もうどうでもいいことになっているのである。


「逸脱への赴き」にかけて人並み以上のここなる読者も又、深くて広い帽子病のありかたに思いを馳せつづけたおよそ四十年の間に、「帽子病について、思いを巡らすことは、そのまま、人間について考えること、人間とは何かを考えることだと、声をあげる人々」の一人になった。私のこうした「何とも変な逸脱」にみちたいわれなき註解は、もちろん、創造的誤読とやらを志向してなされたものだ。

その誤読の中には、M・バフチンの言う〈愚者の帽子〉をかぶった聖なるシュンポシオンにうつつを抜かすイメージも含まれる。

帽子病に追い詰められ、答えを求めて頭をかかえる原型的人間を、若年の日に出遭ったアマーガー平原の豚飼いに見出すことができそうな気がする。〈いかなる詩も、彼の帽子に匹敵できぬであろう〉という粕谷詩「啓示」の一行を思いおこすだけで十分だけれど、もう一篇、やはり『世界の構造』所収の「喝采」を一瞥しておいてもよい。「私の父は、一生を舞台に捧げた人間だ。遂に、殆ど、世間に知られることはなかったが、彼ほどの演技者を、私は知らない。／彼は、常に、独りで仕事をした。己れの血と帽子だけで、己れだけの暗黒の舞台を創り、黙々と務めを果たして去った。いつも同じだった」とはじまるこの詩の途中には、「常に、彼は、帽子の舞う、烈しい喝采の裡に、退場したのだ」とある。

エピローグはこうだ。

「最初から、最後まで、彼は、現実に、生存することすらできず、彼の舞台も観客も、悲鳴も、喝采も、全く架空の幻に終わったのだ。／私のみが、彼の舞台の唯一の証人である。／勿論、私も、彼と一度も逢ったことがないが、例えば、暴動の群衆のなかにいる時、静かな彼の囁きを聴くことがある。この世は、俺の巨大な幻の劇場である、と」

「己れの血と帽子だけ」を究極の小道具として用いるこうした幻の舞台を、私は、ある名前で呼ぶに至った。詩人が耽読してやまない『世界の構造』という反世界を提示する書物も含め、およそ四十年の間に、それを世界劇場とみなしてよいと考えるようになったのである。

目的地と道

カフカをはじめて読んだのがいつだったか正確に思い出せないが、たぶん高校生になって知的に背のびしたい心持ちに染まった頃だったように記憶する。下宿生活のため親元を離れるという大きな変化を余儀なくされた田舎者は、生れ在所の村や町にはない種類の本屋に足繁く通い、しびれるような興奮を味わった。カフカの文庫本があるというだけで、書店に足を踏み入れた実感が湧いてきたのだけれど、なけなしの小遣いで買ったそれは田舎者をつめたく突きはなした。カフカの愛読者ならおなじみのあの超短篇「掟の門」に登場する門番とよく似た存在がこの時、「田舎から出てきた男」の前にも現われた。以来数十年、カフカの作品と実存の門前でいっこうにはかばかしくない問答をくり返したり独言を洩らしたりをつづけている始末である。

さて同じ時期、たしか高校最初の夏休みの課題でやらされた『徒然草』中の幾つかの段の解釈の記憶が、こちらは比較的はっきりとよみがえってくる。田舎者の高校生にとって古文解釈とやらは外国文学（の翻訳）と同程度に迂遠なものだったけれど、友人が教えてくれた虎の巻のおかげで、なんとか課題をこなすことができた。

カフカ〈入門〉というはてしないいとなみを考える時、あの時の課題の中でも特に印象に刻まれた悲喜劇的なエピソード類が付随的に思い出されてしまうのは、個人的ないわれもはりついているからだろうか。

古文の教科書にものる『徒然草』定番のエピソードといえば、「これも仁和寺の法師……」とはじまる第五十三段。田舎者が当時参照したわけではないが、たまたま手元にある詩人・小説家・評論家の佐藤春夫による現代語訳（河出文庫）の助けをかりて大略を記してみる。寺にいた童子が、法師になる記念にと、知人が集まって催した酒宴で、興に乗じるうち、そばの鼎(かなえ)を取って頭にかぶり、つっかかって、うまくはいらないのを、むりやりに、鼻をおしつぶして、とうとう顔をさし入れて舞ったので、一座の人々が非常におもしろがった。しばらくしてからそれを抜こうとしたが、どうやっても抜けない。酒宴の興もさめて、どうしたものかと当惑するばかり。そのうち頸のあたりに傷ができて血が流れ出し、だんだん腫れ上がり、息も詰まってきたから、割ってしまおうとしたけれど容易には破れない。何より響いて我慢ができない。医者にも連れて行ったが、対坐したときの様子は異様なもので、物を言ってもこもり声になっていっこう聞こえないし、「こんなことは書物にも見当らず師の教えにもないから、治療ができない」と言われて、途方に暮れてしまった。寺へ帰って親友や老母などが、枕もとにより集まって泣き悲しんだ。とうとう、たとえ耳や鼻が切れてしまおうとも命だけは別条がないはず、と言いだした人に従い、力のかぎり引っぱったところ、耳や鼻は欠けてとんだが鼎は抜けた。「からき命まうけて、久しく病みゐたりけり」というのが原文最終行である。『徒然草』の著者が物語小説家の才能を豊かにもち合わせていたことをあざやかに告げ知らせる段として名高いものであろう。

　鼎をかぶったままの法師を、医師のもとに連れて行く道すがら、「人の怪しみ見る事限りなし。医師（くすし）のもとにさし入りて、向ひゐたりけんありさま、さこそ異様（ことよう）なりけめ」という簡潔な原文のかけらから、高校生の田舎者は、うまく読みこめなかったカフカの『変身』をどうしてか思い浮かべた。医者が、「かゝることは、文にも見えず、伝へたる教へもなし」といってさじをなげるシーンには、「掟の門」の門番のイメージをだぶらせたりもした。

　当時の私が、悲喜劇という言葉を知っていたわけではないけれど、この悲痛にして滑稽なシュンポシオンをめぐるエピソードには、カフカも棲みなす世界文学神殿の門前に読む者を運んでゆく何かが潜んでいた、と今にして思うのである。

*

カフカ〈入門〉志願者の、特に若い人々に向けて何かを語ろうとする者は、否応なく、あの門番の位置に立たざるをえないように思われる。

もう何年も前になるが、私もまた「田舎から出てきた男」のスタンスのまま生涯を終えることにたえられない思いにつつまれたあげく、門番の役を演じたくなり、無謀にも『カフカ入門』なる書をでっちあげた。田舎者の高校生が、読みの狂愚者ドン・キホーテ同様の「五十がらみ」の年齢に達し、カフカ文学の源流に「長篇小説ジャンルの最初の偉大な書『ドン・キホーテ』」（W・ベンヤミン）が位置する事実に遅れ遅れて気づいた頃のことである。

仁和寺の法師が件の宴を催したのは、今日ふうにいえば卒業式と入学式の祝いを兼ねる成人式＝イニシエーション――「童の法師にならんとする名残」（稚児が僧となる別れ）のためであった。先達たちが、少年の稚児姿との別れを哀惜する場で酔興を演じたのであるが、当方も『審判』のヨーゼフ・Kの内的独白――「これが喜劇であるのなら、逆に自分も一役買って出てやろう」をもどきながら、カフカの案内人つまりは門番の側にまわって〈入門〉者をことほぐ宴に興じた。

五十がらみの凡愚版キホーテは、長い間、騎士物語のように読みつづけたカフカのテキストのツボにはまって抜け出せない感じが伝えられたらもって瞑すべしなどと考えていたが、事実、テキストのツボを押えたつもりが、いわゆるドツボにはまった感触のみが強く残り、辛うじて本を出しえた後も仁和寺の法師の如く、「からき命まうけて、久しく病みゐたりけり」というありさまだった。

＊

『徒然草』第五十三段が「これも仁和寺の法師……」とあるのは前段──「仁和寺にある法師」をふまえたもので、この第五十二段もとても有名なエピソードだ。年寄りになるまで石清水八幡宮へまだ参詣したことがなかったので、ある時思い立ってただひとり歩いて詣でた。山麓の末寺を拝んで帰って来て、傍らの人に宿願を果した思いだが、「そも、参りたる人ごとに山へ登りしは、何事かありけん」（それにしてもお参りする人ごとに、みな山へ登ったのはどういうわけであろうか）「ゆかしかりしかど、神へ参るこそ本意なれと思ひて、山までは見ず」（自分も行ってみたくはあったけれど、八幡様へお参りするのが肝心だと思って、山上までは見ませんでした）と語った。

「少しのことにも、先達はあらまほしき事なり」というのが最終行である。

当方も、「ちょっとしたことにも、道案内がいてほしい」の要望にこたえるつもりで『カフカ入門』を書いたが、世界文学神殿にお参りするのが肝心だと思って、カフカ文学の「山の上」までは見物し損ねた感を強くした。

ついでにもう一つだけ、高校生の私に忘れがたい印象を刻んだ『徒然草』第二百三十六段のエピソードを引き寄せる。聖海上人という伝未詳の人物にまつわる話。この上人がある立派な社にたくさんの人々と共に案内かたがた参拝にいった折、ふと見ると、神前の獅子や狛犬が「背きて、後（うしろ）さまに立ちたりければ」（反対に、うしろ向きに立っていたので）、上人がひどく感心して、「あなめでたや。この獅子の立ち様、いとめづらし。深き故あらん」（ああありがたい。この獅子の立ち方が実に珍しい。深いわけがあろう）と感涙をもよおして、「どうです、みなさん、ありがたいことが、お気づきにはなりませんか。しかたのない人たちだ」と言ったので、人々もふしぎに思って「なるほど、他処とは変っていますね。都への土産話にしましょう」などと言ったものだから、上人はいっそうゆかしく思って、おとなしくて物わかりのしそうな顔をした神官を呼んで、「定めて習ひある事に侍らん。ちと承はらばや」（きっと由来のあることでしょう。御説明を願いましょう）とたずねたところが、答えは、「その事に候ふ。さがなき童どもの仕りける、奇怪に候ふ事なり」（それでございますか、腕白どもがしでかした不都合ないたずらです）というもので、すかさずそばへ立ち寄って据え直してしまった。最終行は「上人の感涙いたづらになりにけり」である。

　今ははや還暦をすぎてしまった〝カフカ読みのカフカ知らず〟ともいうべき者が、なぜ以上三つのエピソードに寄り添ってみたか、多くを語るまでもないだろう。

　私はカフカ文学をめぐる「少しのこと」を語ろうと先達をつとめた。テキストの片隅に目をとめ、特に「背きて、後さまに」なっている箇所を見ては、かの上人のように「あなめでたや、いとめづらし。深き故あらん」と感嘆した。まさか「ありがたいことが、お気づきにはなりませんか。しかたのない人たちだ」などとはいわなかったけれども、カフカ文学の立ち位置に関して「定めて習ひある事」と思わざるをえない〝異様〟なる領域に足を踏み入れた実感につつまれた。

たとえばW・ベンヤミンのようなすぐれた先達のおかげで、「感涙いたづらになりにけり」の事態は免れたものの、当のカフカ本人に問いを発してみると、〝深いいわれ〟の大半について、「ああそれですか……それは子供のいたずらみたいなものなんですよ」といった返事がかえってくる気がしたのである。

*

書物の上のことを理解するばかりで、これを実行しえないたとえとして用いられる「論語読みの論語知らず」の論語を、子供じみたいたずら心でカフカに置きかえてみたのは、「たとえ子供じみたものでも救いに役立つことはある」というカフカ自身の言葉を思い出したせいでもある。

理解するばかりで実行しえないのは何かといえば、論語の場合、孔子の説いた道を指すだろうが、作品と実存とが緊密にむすびついたカフカのテキストの中に、論語とはすこぶる異次元ではあるものの、道についての考察は少なくない。

道の途上にある、さまざまな宿駅でのさまざまな形の絶望。

ゴールはあるが、道はない。われわれが道と呼ぶのは、ためらいのことである。

吉田仙太郎編訳『夢・アフォリズム・詩』（平凡社ライブラリー）中のアフォリズムを二つだけ引いた。前者は〈八つ折判ノート〉、後者はそれをふまえて（？）カフカ自身が思い入れを込めてまとめた「自撰アフォリズム」からのものだ。

警句、箴言、金言などと訳されるアフォリズムは短い文言で対象の本質に迫るものだが、「正人君子」を納得させるというより、どことなく子供のいたずらめいたユーモアやアイロニーを孕んでいるものが多い気がする。

ニーチェやキルケゴールの哲学思想的アフォリズム、ゲーテやフローベールの詩人・作家的アフォリズムを愛読したと思われるカフカは、それら先達の誰とも異なる光り輝くアウラ付きのワラシベ集ともいうべき独自のアフォリズムを残した。いささか乱暴にいえば、アフォリズム形式の表現には、コンテクスト＝前後関係がない。それは、絶海の孤島、あるいは夜空の星々の如くに位置する。孤絶の実存をテキストに編み込んだ表現者たちがひとしくこの形式を愛惜した事実に、「あなめでたや……深き故あらん」と感嘆する読者は少なくないだろう。

田舎者が高校生になる前に、教科書で読み知った魯迅「故郷」中の言葉——「思うに、希望とは、もともとあるものだともいえぬし、ないものだともいえない。それは地上の道のようなものである。もともと地上には、道はない。歩く人が多くなれば、それが道になるのだ」（竹内好訳）は、短篇小説の最終行である。アフォリズムとして書かれたわけではないが、物語上の前後関係があるためだろう、田舎者の鈍いアタマでも納得できる一種の名言、箴言として記憶に残った。

論語の国の作家は、〈「正人君子」の連中に深く憎まれる文字を書きつづける〉（「藤野先生」）覚悟を定め、カフカ文学とは別種の「絶望」をつきつめたのであるが、ここで二人の作家の「道」をめぐる絶望観を比較するイトマはない。

高校生の田舎者が出遭ったカフカ作品は、〝歩く人が多くなってできた道〟という理解の範囲をこえたところにあった。それはむしろ歩く人が少ないほうへ読者を引っぱってゆく特異な道案内のように思われた。自撰アフォリズムの始まりの断章はこうだ。

ほんとうの道は、一本の綱の上を通っているのだが、綱が張られているのは高いところではなくて、地面にすれすれである。それは歩かせるためというよりは、むしろつまずかせるためのもののように見える。

出遭いの当初からカフカにつまずいた私は、しかし、田舎から出てきた男よろしく、生涯にわたってカフカのテキストの門前で暮らすことになるだろうという予感を抱いた。たとえカフカ知らずのままに終ろうとも、カフカ読みをつづけるだろう、というその予感は的中したのである。

＊

書物の上のことを理解するばかりで、これを実行できない者の対極にいるキャラクターがドン・キホーテである。田舎者がこの悲痛なまでに喜劇的な作品に出遭ったのはずっと後のことだが、カフカ読みのカフカ知らずを自覚するようになって以来、カフカの作品の読者でありつづけるだけでなく、その実存の道の実践者でもありたいという無謀なドン・キホーテ的願いにとり憑かれるに至ったのは、当然といえば当然のなりゆきだった。むろん、これは、逆説的な事態である。目標はあるが道はないと断言している作家に近づく道が、他ならぬ凡愚にどうして見つけられるだろう。

この絶望的事態をさらにカフカ流のたとえでいいかえると、こんなふうだ。

秋の道のようだ――掃き清められたかと思うと、また枯葉に覆われる。

鳥籠が、鳥を探しに出かけていった。

やはり自撰アフォリズムからのものである。

最初にこれを読んだ田舎者は、たしかに「探し」物の目標はある、と思った。ゴールははっきりと見定められているが、ただそれに至る道が見つからないだけなのだ、と。

しかし、カフカの門前で生活するようになってから、「少しのことにも、先達はあらまほしき事なり」とつぶやきつづけるうち、ある日、その先達の一人があらわれてこういった。

「迷宮は、目的地に着くのがまだ早すぎる者にとっては正道である。この目的地とは市場である」

「迷宮は逡巡する者の故郷である。目的地に着くことを恐れる人のたどる道は、容易に迷宮を描くであろう」（浅井健二郎編訳『ベンヤミン・コレクション1』ちくま学芸文庫）

アフォリズム形式のボードレール論「セントラルパーク」から引いた。カフカ論として書かれたものではないこのアフォリズムが、すでに掲げたカフカのそれと共振現象をおこす種類のものであることは明らかである。

たとえばカフカの『城』を読むうちたち現われる迷宮が、「逡巡する者」にとっての「故郷」であることにひとたび気づくと、人は、「目的地に着くことを恐れる」という一種サカサマの感覚につつまれてしまう。だが、この感覚の中でこそ鳥籠が鳥をさがしている姿を目撃することが可能になるだろう。

「目的地とは市場である」とベンヤミンは書いた。目標はあるが道がないだけ、といういい方は、ここに至って微妙な転位をとげる、と私は思った。その転位と、カフカ的な絶望の道の実践とは、どこかでつながっているはずである。

市場という目的地に着くことを恐れる人のたどる道――それはドン・キホーテ的妄想の中にしか見出せない。そういう絶望に誰よりも深く身を沈めた作家がカフカだった。

カフカにとってこの絶望の道の大いなる先達の一人が、生涯の危機の最中に熱読したキルケゴールである。

八つ折判ノートのアフォリズムは、キルケゴールの名を出していないが、明らかに「彼」を指し、次のように書く。

彼には精神が多すぎる。彼は自分の精神に乗っかって、魔法の馬車みたいに地上を駆けめぐる、道のないところでさえも。そして自分では、そこに道がないことに気づくことがない。そのため、後をついてきてくれと頼む彼の謙虚な願いも専制となり、「道の途上」

にいるだけだという彼の誠実な信念も、傲慢となる。

（同前『夢・アフォリズム・詩』より）

ここなるカフカ読みのカフカ知らずもまた、彼カフカには、安易な目的地に着くことを拒んで逡巡する精神がありすぎる、と何度その門前でつぶやいたことだろう。しかし、彼の案内する非市場ふうの場所に道がないことにたちまち気づかされたにもかかわらず、「歩かせるためというよりは、むしろつまずかせるためのもののように見える」地面すれすれに張られた一本の綱の上を通っている「ほんとうの道」が、カフカのテキストの中にあるというドン・キホーテ的妄想を手放したことは一度もなかった。

カフカ読みという仁和寺ならぬ世界文学のシュンポシオンに参加する者は、次に掲げるキレハシ――前後関係を端折って当方が勝手にカフカ・アフォリズム集に入れて久しい――をハシーシのように噛みながら、宴を続けることになるだろう。

……正確にいうと、この状況は、絶望なのです。もっと正確にいうと、非常に幸福なのです。

（『城』前田敬作訳、新潮文庫）

ほんたうにおれが見えるのか

はじめにおことわりしておきたいが、以下にしたためる賢治入門稿は、外国の著作家たちの話と〝混成〟されたものである。

われわれのイメージする世界文学の星座布置において、賢治は海のかなたの著作家たちと同じ星宿で永遠の輝きを放射している存在だ。その星宿を、私は勝手に世界劇場といいかえたりもする。

銀河鉄道を幻視する能力は当方にないけれど、せめて精神の闇を濃く深くしたうえで、劇場的な座から世界文学の天空にきらめく星座を凝視しようと思うのである。

もう二十年も前になるが、デンマークのアマーガー（デンマーク語原音に近い表記ではアマー）平原というところに一度ふり立ってみたいという願いが昂じ、思いきって出かけたことがある。

短篇の習作をはじめた十代の賢治は書簡で「アンデルゼンの物語を勉強しながら」歌をうたひました、と書いたが、そのアンデルセンが、童話に目ざめる以前の文壇デビュー作『徒歩旅行』の正式タイトルは『一八二八年から一八二九年のホルメンス運河よりアマー島東端への徒歩旅行』というものだ。二八年から二九年にかけての旅の記録を思わせるが、実際は二八年の大晦日から二九年の元旦にかけて、つまり年の変り目のボーダー数時間にわたる出来事にすぎない。

こうした結構そのものににじむ作者の道化ぶりに関心を抱いていた私は、その数時間にも及ばぬ短い徒歩旅行を真似てみたのだった。

若年の私の脳裡に刻まれた「アマーガー平原」は一種詩的な呪文のようなものだ。キルケゴールの大著『あれか、これか』のオープニングのアフォリズム集「ディアプサルマータ」の初っ端にそれは出てくる。

「詩人とはなにか?」という自問に、「深い苦悩を心にひめていながら、いったん嘆息や悲鳴が外へ流れ出ると美しい音楽のように聞こえてしまう、そんな出来ぐあいの唇をもつ不幸な人間のことである」と自答する話者は、「ところで、言うまでもなく批評家は詩人とは紙ひとえの差にすぎないが、ただ心には苦悩を持たず、唇には音楽を持たないというだけのちがいである」としたうえで、こうしめくくる。

「だからぼくには、詩人となって人間どもに誤解されるよりは、アマーガー平原の豚飼いとなって豚どもに理解される方がましだ」

同時代に生れ合わせ、ねじれの位置のような交わりをした二人の〃異類〃の実存に思いを馳せる当方にとって、「アマーガー平原」は謎のアウラがさし込む特別の土地の名でありつづけているが、そのアウラは賢治の詩精神ともつながるだろう。

アンデルセンという姓はデンマークにありふれたものらしく、土地の人に何度か訊ねたけれど〈H(ホー)・C(セー)・アナセン〉とフルネームでいわないと通じないことがわかった。デンマーク語でアンデルセンの sen は「息子」の意で、アンデルは、ドイツ語の anders 同様、「別の、他の」ニュアンスである。世界劇場の夜空に輝く〈キルケゴールとアンデルセン〉という星座に見入って久しい私は、アンデルセンのような童話が書きたいと念じつつ独自の宗教的講話を大量に産出したキルケゴールを、その主著〈反復〉の意のデンマーク語を用いて、宗教童話作家「ゲンテルセン」と呼んだことがあった。

一方、アンデルセンを、ドイツ語ふうに(?)「アンデルス・ザイン」(異なる存在、異類)と、いささか無理な命名をしてみたこともあったが、これこそ、冒頭にふれた世界文学の星座布置で、賢治もそれに属するとみなす星宿の名である。

キルケゴールは、詩篇を書いた詩人ではないが、世界文学史に突出する詩的言語の使い手だと、私は信じている。詩人と批評家との「紙ひとえの差」について痛烈な言葉を残したキルケゴールは、アンデルセンより八歳下で、後者の『徒歩旅行』が自費出版された時、十六歳だった。

『徒歩旅行』をキルケゴールがいつ読んだのかよくわからない。この書の最終部、アマー旅行が終って、コペンハーゲンを一瞥する「私」は、金や花嫁や友人といった「欲しい」ものを列挙する歌をうたうのだが、そのさいごに——「神の、批評家すべてのよき理解が欲しい」とある。

もっと旅がしたいと思う「私」が近くのボートに飛びこむと、ボートは危うくひっくり返りそうになる。びっくりして見回すと、水の中に見るも恐ろしい異類のロスマー・ハウマン（海底族の男）が腰まで浸かって立っており、ボートの縁をつかんでいた。頭には髪の代りに羽（ペン）の軸が一面に生えており、すさまじく逆立っていたし、長い尾はうろこの代りにおびただしい本の背表紙でできていて、その中には「私」が今まさに書きつつある『徒歩旅行』もあった。

この海男は「私」にどなるようにいった。

——お前の本は『アマー島東端への徒歩旅行』なのに、厚かましくもさらに先へ進もうとしているのか！

後年のキルケゴールの著書を知る者なら、この「厚かましくもさらに先へ進もうとしているのか！」という云い方に、キルケゴールを思わせるタッチをみてとってしまうが、『徒歩旅行』

が書かれた時点で、キルケゴールのことなど知っていたはずもない。

ぞっとするような冷たいものが私の背筋を走った。というのは、いまや、この海男が批評家以外のなにものでもないことに気づいたからである。（中略）「ああ、なんたるたわ言！」と、その男は言った。「ここでは、お前を批評するのはよそう。だがお前は、いちばん初めに活字になった書評で私の意見を聞くことになるだろう。傍若無人な書評を見たら、それが私の批評だということがわかるよ」

（『徒歩旅行』十三章、鈴木徹郎訳、東京書籍）

私は、賢治への言及も多い旧著『キルケゴールとアンデルセン』で、われわれの愛惜する謎もまた、ここでクライマックスを迎える、と書いた。『徒歩旅行』をしめくくるこのエピソード――怪異な海男の姿をした批評家との出会いのシーンに、一八三八年『今なお生ける者の手記より』という奇妙なタイトルの「世界最初の」アンデルセン論を刊行する直前のキルケゴールが、アンデルセンとコペンハーゲンの路上で交わした（とアンデルセンが自伝で語る）対話をかさねてみると、やはりアウラ付きの実存のミステリーが増幅する。

私は推測した。一八二九年に刊行された『徒歩旅行』の海男が、キルケゴールをイメージして書かれたはずはないけれど、学生キルケゴールがこの箇所を意識して、八歳年上の新進作家

に街路で、

——自分はこれからあなたの小説についての批評を書くつもりでいるが、あなたはそれに他の人々が既になしたいかなる批評よりも満足するだろう。なぜならこれまでの批評はあなたを誤解していたから。

と（アンデルセン自伝にいう通り）語ったと想像することは許される。

あるいは、と私はさらに想像をたくましくしてみた。想念に宿る一種の固定観念に強くこだわる性癖が極端だったアンデルセンが、記念すべきデビュー作の最終エピソードに寄り添って、路上でのキルケゴールとのやりとりを、いささか戯曲的に再現したのが自伝中の記述なのではないか、と。

『徒歩旅行』に顔を出す死神は「あんたは、いつも誤解されるだろう」と、そして海男は「傍若無人な書評をみたら、それが私の批評だということがわかるよ」と「私」にいった。現実のキルケゴールは「誤解」にさらされていたアンデルセンを「満足」させる書評を書くつもりだと宣言しながら、結果的にはアンデルセンを悦ばせることからかけ離れた「傍若無人な書評」を書いた。

キルケゴールが創作した詩人気質の男が書いた——「詩人となって人間どもに誤解されるよりは、アマーガー平原の豚飼いとなって豚どもに理解される方がましだ」という「傍若無人な」独語を、ここで思いうかべないわけにはいかないが、しかし、今ここで、われわれの世界劇場に、誤解と理解がねじれたままの興味深い対話の背後に隠されたものを召喚し、再上演するつもりはない。

キルケゴールふうにいえば肉の刺を隠しもつ例外者、アンデルセンふうにいえばみにくいアヒルの子に似たアンデルス・ザイン（異類）――ヨーロッパ周縁の地に生れ合わせた二人の天才は、書物上のつきあいにとどまらず、実際に相会えて、街路で対話をした。アンデルセン自伝によれば、それはほんとうにあったことである。一回性のこの時の路上の会話の録音を、私はこれまで幾度も魂の装置の中で再生しつづけてきた。しかし、再生すればするほど、二人は、互いに共通する、次のようなノン・ヒューマンビーイング＝異類のセリフをつぶやいていたのではないかと思うに至った。

（今、われわれはこうして出会ったが）ほんたうにおれが見えるのか。

このセリフは、詩人にして童話作家宮沢賢治の代表作の一つ「春と修羅」中のものである。

ことなくひとのかたちのもの
けらをまとひおれを見るその農夫
ほんたうにおれが見えるのか

「春と修羅」第一連の後半にあるこの三行を、私は、手元において時々反復ヨミの対象とする詩人吉田文憲の――「幻の郵便脚夫を求めて」という副タイトルをもつ宮沢賢治論（大修館書店）のあるページから引いた。以下、詩人の手になるこの著書をすでに詳述したふりをして、われわれの劇場のカケラ＝コケラ落しをおこなうつもりである。

手元にはまた、瞠目に値する世界文学的な磁場で創作活動をつづける作家多和田葉子が編んだ『カフカ』（集英社文庫ヘリテージシリーズ）もあり、比類のないアウラを放ちつつスペシャルなカケラ＝コケラ落しに参加したがっているように思える。

ほんたうにおれが見えるのか。

賢治とはまったく異なる外観を呈しているものの、われわれの眼にノン・ヒューマンビーイング（異類）あるいはデクノボー座といった異名をもつ同じ星宿にあるようにみえるカフカのテキスト群からも、われわれはこれと似たつぶやきを聴取する。

賢治とカフカは共に死後、望まざる名声につつまれた。膨大な数の「理解」者に囲まれたかにみえるが、冥界にいるかれらに共通するのは、おそらく、「詩人となって人間どもに誤解されるよりは……」という「アマーガー平原」のつぶやきに象徴される思いといっていいだろう。

カフカは、実存の危機に直面するたび、メールヒェン作家を内に孕む弁証法家キルケゴールを熟読した。一九一七年、友人オスカー・バウムに宛てた手紙の中でカフカは書いている――キルケゴールはひとつの星だ、しかし僕には及びもつかぬ地帯の上に輝く星だ、君がこれからこの人を読むというのはうれしい……と。

われわれもまたかれの言葉をもどいて書く――キルケゴールとカフカ、賢治は、われわれには及びもつかぬ「アマーガー平原」の上に輝く星々だ、本稿の読者がこれら同じ星座に属する非商業系著作家を読んでくれるなら無上にうれしい……と。

人間どもに誤解されるよりは、いっそのこと……の次にくるのはそれぞれ別のものかもしれないが、海男に代表されるふうの異類――賢治の場合は修羅、カフカの場合は、G・ザムザが変身を余儀なくされた毒虫――という点で一致している。

われわれの劇場では、テキストと作者の実存を都合よく切りわける常套手段は通用しない。多和田葉子は先の『カフカ』の巻末解説「カフカ重ね書き」の中で、こう書いている。「自分が死んでも作品は残ることに慰めを見出す作家もいるが、カフカの場合はそうではなかった」「自分から汚れてしまうことがグレゴールにとっては唯一、生け贄にされる運命を逃れるチャンスだった。ドイツ語原文冒頭にある「ウンゲツィーファー（Ungeziefer）」は、今日のドイツ語では害虫をさすが、語源的には、生け贄にできないほど汚れた生き物という意味だった。つまり、グレゴールは汚れた存在になることで、生け贄にされるのを逃れるのである」「せっかく作っても自分が作品から閉め出されてしまうことが心配になることもある。自分の作品でも、書き終わったら自分でも理解できなくなるかもしれない。芸術家は自分の作品というものを持つことに甘やかされると同時に、作品の持つ脆さのせいで神経過敏になり、作品をけなされると自分も傷つき、いつも怯えている、などと書けるカフカは、芸術家のほとんどが持つナルシシズムを全く知らない、めずらしい作家なのだ」

このさいごのところは、カフカ晩年の自伝的作品「巣穴」をめぐるものだが、折口信夫ふうにいえば、〈ほうとする〉実存のため息を禁じえぬ美しくもブリリアントな洞察という他なく、われわれの劇場のコケラ落しの文言としてもふさわしい。

ほんたうにおれが見えるのか……譫言のようにくり返してきたわれわれだが、見える者には見える「めずらしい」実例というべきか。

汚れた存在になることで、生け贄にされるのを逃れる！　ゲンテルセン（反復）座なる異名をもつわれわれの世界劇場に繰り返し召喚するに値する存在の本質を衝いた多和田葉子のこの言葉を胸にたたんで、先の詩人吉田文憲の賢治論をひもとくと、「修羅という名のキメラ」なる視座が眼にとび込んでくる。

詩人は書く――〝郵便脚夫〟と並んでこの小論の柱をもう一つ建てておきたい。それはキメラとしての《宮沢賢治》を追いかけること、と。キメラ（chimere）とはもともとは生物学の用語。ギリシャ神話に出てくる、ライオンのアタマ、羊の胴、蛇の尾を持つ火を噴く神話上の怪獣、いわば〝混成生物〟であるが、詩人の視座によれば、それが賢治の存在認識、あるいは生命観、さらには特異な主体の在り方に関わってくるという。「春と修羅」の中で、賢治は、自己の存在を規定して〈おれはひとりの修羅なのだ〉と名のりをあげたが、その修羅とは、仏教の六道輪廻の世界観にあって、人間世界からは頽落したものの、別世界・別次元でのいのちの顕れである。

もとは仏教を守護する善神、のちに諸天に闘いを挑み、ついには闘いに破れ海底に封じこめられた悪神である修羅は、「出自の高貴さと、その反動としての鬱屈した卑小さを生きるきわめて複雑な神」である。

さらに詩人の文を書き写す。

「賢治は、その高貴にして卑小な修羅の相に自己の姿を投影し、またそこに当時の進化論から受けたヴィジョンを重ねるようにして、蛇や竜、あるいはどこか青黒くもやもやしたキメラ的な爬虫類の蠢きをイメージしていた。別言すれば、そういう異界の怪物的なものの蠢きをたえず自らの生体の中に強く感じながら生きていたということでもある」

詩人が命名した「修羅という名のキメラ」は、本稿が追尋してきた「傍若無人な」海男の原像、ひいては「農夫」に敵視される害虫の語源――「生け贄にできないほど汚れた生き物」にどこかでつながるはずだ。

かつてカフカを「弁証法家のためのメールヒェンを書いた」作家と呼んだベンヤミンは、〝沼の世界〟のイメージでカフカ作品を読みといたことがある。沼の世界から現れるものは、すべて醜く歪んでいる。オドラデクもグレゴール・ザムザの変身した毒虫も、猫羊も。総じて彼らが歪んでいるのは、忘れられた存在だからだ、というように。

こうした沼の世界に、賢治の「春と修羅」も接続するものとわれわれは考えるが、その符合一致をめぐる分析はできる人にまかせ、ここでは吉田文憲が著書の柱とした〝郵便脚夫〟のイメージにもう少し寄り添いたい。

詩人はまた書く――賢治作品の冒頭には、いつも妖しいレンズのようなものが仕掛けられている、と。それはたとえば「銀河鉄道の夜」のように、文字通り銀河系のモデルをかたどる凸レンズであったり、「風の又三郎」のように、風にガタガタ鳴る教室の窓ガラスであったり、小品「やまなし」のように谷川の底を写した「二枚の蒼い幻燈」、水中世界であったりもする。こうしたレンズや窓ガラスや水はいつでも異界への入り口であると同時に、そこにその異界の姿、あるいはこちらからは見えない彼岸の消息を映し出す幻想の装置の役割を果しているものではないか、と詩人はいう。

『春と修羅』冒頭の詩「屈折率」にも、この不思議な光のレンズが見えている。いわばその光の妖しいレンズの先に（それを通して）開示される異空間、それが「わたくし」の歩み出す「屈折率」の世界である。

詩人同様、われわれもベンヤミン的「書き写す者」となって、その短い詩篇を次に掲げる。

七つ森のこつちのひとつが
水の中よりもつと明るく

そしてたいへん巨きいのに
わたくしはでこぼこ凍つたみちをふみ
このでこぼこの雪をふみ
向ふの縮れた亜鉛の雲へ
陰気な郵便脚夫のやうに
（またアラツデイン　洋燈（ラムプ）とり）
急がなければならないのか

吉田文憲は、このささやかな詩篇一つを手がかりに、なぜそれが『春と修羅』の冒頭におかれたか、慎ましくもスリリングな探究をおこなっている。賢治の作品がみせる異なる世界、四次元空間の「切り口」＝断面――それがわれわれ「人間の目に見える現世」であり、それこそが「隠された世界＝異界への入口だ」とした上で、吉田が「看過できない比喩」としてこだわったのが「陰気な郵便脚夫のやうに」なのだった。このこだわりは、前著『宮沢賢治――妖しい文字の物語』（思潮社）ですでにあらわになっていた。たとえば、あの『どんぐりと山猫』で、一郎のうちにきた山猫からの「おかしなはがき」は、この「郵便脚夫」が配達したものではないか、というように、作品の中でさまざまな国に赴き、さまざまな人や物に姿を変えながら、死んでは蘇りいつか時空を超えた天上の国への長い受難の歩をあゆむものの、作者によって選ばれた呼び名、それこそが郵便脚夫だと吉田は書くのである。

なぜ「陰気な郵便脚夫」が、詩篇のみならず、「まだあまりあきらかにされていない賢治作品の構造の大きな謎を語るもの」といえるのか。賢治文学の使命と試練の象徴としての「郵便脚夫」の実相をもっとつぶさに知りたい向きには、詩人の手になる最適の賢治入門書二冊の精読をすすめておきたい。

私はもう一つ、ほんのひとくだりのみ引かせてもらう。

……これは比喩という以上に、詩の中の「わたくし」の願望そのものが呼び出した姿ともいえようが、ところでここにいまあの隠されてある幻の目を想定すれば、この詩はその幻の目と詩の中の「わたくし」とのいわば瞬間的な感応力において成り立っている。

「詩の外側にあるものからの感応力」が、そこに瞬時「わたくし」の変身した姿としての〝郵便脚夫〟を呼び出し……とつづく吉田の文脈を、あえて切断し、われわれは再び、ウワゴトをつぶやく。

これはじつは、世界劇場の天空に輝く星座から異類たちがわれわれに耳うちし、いわしめているつぶやきといってもいい。

ほんたうに（もう人のかたちをしたものではなくなっている）おれが見えるのか。

「瞬間的な感応力」の何たるかを洞察しうる者にのみ、「おれ」は見えるのかもしれないと考えるわれわれは、〝石っこ賢さん〟というアダ名をもつ天才詩人の石ころ＝ピエール性（というのも変だが）に、思いを転じる。

このピエールは異類という形をとったピエロと「瞬間的な感応力」をもつ。海男にとりつかれた作家Ｈ・メルヴィルが、「ピエール」という作品に接続させるように生み出した、われわれの劇場にとってすこぶる重要な作品「代書人バートルビー」（酒本雅之訳）を召喚し、それがこれまでのべたこととどんな関連をもつのか説明はすでにどこかでやったとでもいうかの如く、唐突に本稿を終りたい。

バートルビーは話者に向けて、「ほんたうにおれが見えるのか」と口に出しはしないが、その代りの口癖は I would prefer not to（できれば、無しで済ませられたらありがたいのですが）である。

世俗的な要請のことごとくに無能ぶりをさらけ出すバートルビーに苛立つ話者は、しかし、「背の高い緑色の屏風」を調達してやり、「これでバートルビーを、声の届かぬところまで遠ざけずとも、視界から完全に消してしまえる。こうして何とか、一人でいながら相手もいるという形になった」などと語る。

世俗の支配する現世と異界との境をなすこの〈ディスコミュニケーション〉の屏風は、われわれの世界劇場にとって欠かせぬ小道具である。それは、アンデルセン童話『雪の女王』の第一話で語られる〈魔法の鏡〉のカケラふうのものから出来ている。
バートルビーが、「冷たい石を枕に」死んでゆく前後を描いたその最終部――そこに、私が書き写しておきたい一節がある。語り手の「わたし」と知り合う以前のバートルビーがどんな仕事をしていたのかについての噂話にふれたくだりである。

風聞とはこうだ、――バートルビーはワシントンで配達不能郵便（デッド・レター）を扱う下級局員だったが、政府が代わったためにとつぜん解雇されたというのだ。この噂話を思うたびにわたしを捉える感情は、わたしにはほとんど言い表わせそうにない。配達不能郵便（デッド・レター）という言葉、まるで死人（デッド・メン）みたいに聞こえないか。生来、それに不運もあって、ともすれば青ざめた絶望に傾く人間がいるとして、ひっきりなしにこういう配達不能郵便を扱い、焼却のためにそれを選別するということほど、その絶望を強めるのにぴったりの仕事があるだろうか。

世界劇場のサーバント——〈シェイクスピアとセルバンテス〉のための序

序文とはいかにあるべきか、いかに書くべきかをテーマとする『ドン・キホーテ』の味わい深い序文の中で、セルバンテスは、自作の冒頭に有力な文人による称賛の詩を列挙するという当時の慣習に抗うべく、おそらくは架空の友人——「なかなか物の分かる愉快な男」に向けて「生来ひどく怠惰で無精なものだから、別に他人の世話にならなくても自分で言えるようなことを言ってもらうために、わざわざ作家たちを探してまわる気にはなれない」（牛島信明訳）と語っている。べつの訳では「自分の力で言える程度のことを、他の権威者たちに言ってもらうべく、権威者を探し求めるなどということにたいしては、私は生まれつき無精でなまけ者だ」（清水憲男訳）となる。

味わい深さを翻訳で味わうしかないただの読者の脳裡に、「一つの言語から他の言語に翻訳するのは、フランドルのタピストリーを裏側から眺めるようなものだ」という他ならぬドン・

キホーテの言葉がよみがえる。

ただの読者である私は「生まれつき無精でなまけ者」ではないつもりだけれど、名産品のタピストリーのような世界文学の名だたる作品の「裏側」を眺めつづける宿命の中で、やはり他ならぬドン・キホーテのマナザシをひき寄せたあげく、「裏側」のボロボロの糸くずめいたものをひろいあつめて、たしかJ・デリダが言揚げした「ドゥブリュール」(裏地)作りに精を出したいと発願する。たとえそれが、デリダ流の哲学的思考にはからきし弱いただの読者の翻訳的誤読の類であっても、だ。

ルネッサンス文学の二大巨星を並べて論じている著作がどれくらいあるのか見当もつかないけれど、そうした著作への序文めいたものをしたためられたら……というのが本稿の見果てぬ夢である。

『ドン・キホーテ』の序文は、じっさいにはセルバンテスが愉快な友人に語った通りにはならず、当時のならわしに従って友人がアドバイスした通りの——たとえば「欄外の余白に、君の物語を飾りたてる格言や警句の出典や作家をあげる件については、君がそらで覚えているか、または探すのにそれほど手間ひまのかからないような金言なり、ラテン語の片言隻句なりを、その場にぴったりおさまるように工夫しさえすればいいんだ」といったぐあいの——「飾り」のついたものに落着いた。当方の場合、「自分で言えるようなことを言ってもらうため……」というより、あの『伝奇集』プロローグでボルヘスが「長大な作品を物するのは、数分間で語りつくせる着想を五百ページにわたって展開するのは、労のみ多くて功少ない狂気の沙汰である。よりましな方法は、それらの書物がすでに存在すると見せかけて、要約や注釈を差しだすことだ」とうそぶいたその「方法」にのっとり、『シェイクスピアとセルバンテス』という本がすでに存在しているというふりをして、要約や注釈等を含む序文を提供できたら、と夢見ている。

私もセルバンテスの愉快な友人のアドバイスを重んじ、「そらで覚えている」とまではいえなくても、「探すのにそれほど手間ひまのかからない」——長い歳月にわたって反復読書してきた著作家の言葉を、「場にぴったりおさまるように工夫」しながら、召喚してみたい。

登場願うのは、すでに引いたわが師ボルヘスである。「他の者たちは偶然彼らが書くことになった書物を自慢するがよい。私は偶然私が読むことになった書物を自慢しよう」という当方好みのドン・キホーテ的啖呵が通奏低音としてひびくルネッサンス文学的に愉快な書『序文つき序文集』（牛島信明他訳、国書刊行会）中の、『マクベス』をめぐる一文のエピローグ部分はこうだ。

シェイクスピアはイギリスの詩人の中で最もイギリス人らしくない。（実際にはニューイングランド出身の）ロバート・フロスト、ワーズワス、サミュエル・ジョンソン、チョーサー、そして哀歌を書いた、もしくは歌った名もなき者たちと比べると、彼は異邦人とすら言える。イギリスはあのアンダーステイトメント understatement、つまり非常に洗練された抑制表現の祖国だ。それに対して誇張と過剰と華麗さこそシェイクスピアの特徴である。寛容なセルバンテスもまた、異端審問の炎と音に聞く虚栄の時代のスペイン人とは思えない。

誇張と過剰と華麗さにおいて「最もイギリス人らしくない」シェイクスピアと、寛容の一点で同時代の「スペイン人とは思えない」セルバンテス。二人の共通点は、「異邦人とすら言える」ところだという断言は、本稿にとって「数分間で語りつくせる着想」のサンプルである。この語りに耳を傾ける前の私は、大量に存在する注釈書ほかの参考文献に見出される「その後の英国の詩はシェイクスピアの呪縛と規範を継承する。主としてロジックの部分を継ぐのがミルトン、ダン、近くはエリオットの系譜、歌の部分はワーズワス、キーツ、ロレンスの系譜……」といった文学史的認識を抱いていたので、それらを転倒させる一種乱暴な師父の語り方に嬉しくなってしまった。

ただの読者は、何よりも自由になりたい一念でルネッサンス文学の対極的な巨匠の作（とそれについての言説）をヨム、いやヨブ。そう、ルネッサンス期のカーニバル感覚をひき寄せ、ヨムというよりヨブこと、召喚魔術ふうの祝祭に参加したいのだ。

たとえば、シェイクスピアの畏怖すべき傑作『リア王』の、任意の一ページを、占星術師のようにパッとひらく。当然ながらそれは、ドラマの中でさして重要とはいえぬ場面かもしれないが、ベルグソンがどこやらで言揚げした〈卜占的共感〉を想い出しながら眺めてみよう。

ひらいたのは――第三幕第六場のはじまり、リア、エドガー、道化が登場するあたり。

本稿が注視する道化が、「ねぇ、おっさん、教えてくれよ、気違いは紳士（ジェントルマン）かね、郷士（ヨーマン）かね？」と訊く。半分狂気のリアが「王だ、王だ！」とつぶやく。道化は、「ちがうな、息子が紳士になってる郷士だよ」とつづける。ヴァリアントがあるこの一節には、物語展開にとってほとんど意味のない「悪魔」問答もある。当方の拠る二種のテクスト（岩波文庫版と研究社選集）を勝手に混合させて、ヨム＝ヨブ営みを続行する。

エドガー　悪魔がおいらの背中を噛むよう。
道化　狼の従順を信ずるのは気ちがいなんだよ、馬の健康、若造の恋、娼婦の誓い。
リア　よろしい、実行しよう。即刻その者たちを召喚する。

研究社版（大場建治対訳・注解）から引用したが、岩波文庫版（野島秀勝訳・注解）では、リアのセリフは「絶対にそうしてくれるぞ、すぐさまやつらを裁いてやる」となっており、エドガーに「さ、ここにお坐り下さい、博識この上なき裁判長殿」と、道化に「さ、賢いあなたは、こちらに。さて、お前たち牝狐ども！」と言う。

この一節を、ルネッサンス的に〝いいかげんで良い加減に〟見据えるのに必要なマナザシを、シェイクスピア&セルバンテス的な造語でヨブなら、〝易占トリック〟なそれとなるだろうか。

エドガーの背中を噛んでいる「悪魔」を、岩波文庫版の注は「蚤か虱かだ」と記すが、研究社版で原語をみると、サンチョ・パンサと同程度の当方のアタマにも少し覚えのある The foul だ。たちまち、「そらで覚えている」数少ない呪文めいたセリフ――『マクベス』冒頭の三人の魔女による―― Fair is foul, and foul is fair.(きれいはきたない、きたないはきれい)が召喚される。

易占トリックなマナザシは、名詞と形容詞をダブルイメージでとらえることも辞さないとつぶやいて、手元の英和辞典で foul を引くと、真っ先に「不快な、いやな、むかつくような、汚れた、泥だらけの……」といった語義が眼に入る。名詞の foul にはわれわれに親しい反則のファウルの他、古語扱いの「悪鬼、悪運、不幸」の意がある。

おひまな読者よ、という呼びかけではじまる『ドン・キホーテ』序文は、本書がこの上なく美しく、愉快で気のきいたものであれかしと著者が念願していることは「いまさら誓わなくても信じていただけよう。しかしわたしもまた」あらゆるものは己に似たものしか産めないという「自然の法則」にさからうことができなかった、とはじまる。「教養のないわたしの乏しい才知をもってしては、あらゆる不快感がのさばり、あらゆる侘しい物音によって支配されている牢獄のなかで生まれたかのような、やせて干からびた、気ままな息子、いまだかつて誰ひととり思いついたことのないような雑多な妄想にとり憑かれた息子の物語以外、いったい何を生み出すことができたであろうか？」

〈卜占的共感〉を大切にする易占トリックなマナザシは、先のシーンの直前でエドガーがやっているような――どんなものかここではふれないが――故意のとりちがえもおそれない。Fool（道化）の――madman が紳士（gentleman）なのか郷士（yeoman）なのか、というセリフが、あたかもドン・キホーテをめぐるやりとりであるかのように錯覚したりするのだ。

シェイクスピア時代の郷士は、地主ではあるが、gentleman の社会的地位をもたないものを指す。しかし、社会的地位を問題にしつつ、Fool が madman、gentleman、yeoman の -man のひびきを愉しんでいるとする見方なども悪くない。

『ドン・キホーテ』の前篇と後篇のタイトルをよくみると、機智に富んだ「郷士」が「騎士」と変っている。この変化の意味合いについて詳細に論じた文献を寡聞にして知らないが、本稿にとって重要なのは、マッドマンとジェントルマンとヨーマン三位一体のようなキャラクターといっていいドン・キホーテを生みだした作家をめぐる歴史的かつ実存的真実である。

セルバンテスの寛容さを強調したボルヘスは、著作のあちこちで、それが当時のスペインの歴史的現実において異常といっていいほど稀有で例外的なものであったことにふれている。フランドルのタピストリーのようなルネッサンスの表ではなく、ひとたび裏をめくりかえす時、「あらゆる不快感がのさばり、あらゆる侘しい物音によって支配されている牢獄」がたちあらわれる。「不快な、いやな、むかつくような、汚れた、泥だらけの……」という foul の一義を、「異端審問の炎と音に聞く虚栄の時代のスペイン人」が呪縛された非寛容さに見出すのは容易であろう。

ボルヘスはいう――「セルバンテスはわれわれに十七世紀スペインの詩を創りだしてくれたが、彼にとってはその世紀もその当時のスペインも詩的なものではなかった」と。

ただの読者である当方は、やはり遅れ遅れて知ったのだったが、岩波文庫版の訳注によれば、ラ・マンチャはスペインに実在する〝荒涼とした〟地方の名前だ。それはいいとして、当方がハッとしたのは、スペイン語マンチャ mancha が普通名詞で、「汚れ、不名誉」の意という一事である。

現実の牢獄の中で、ラ・マンチャの男を着想するにあたって、セルバンテスもまた―― Fair is foul, and foul is fair. に似た魔術的呪文をつぶやいただろうと想像される。

再度、易占者の手つきで、今度は『ハムレット』(野島秀勝訳、岩波文庫)を引き寄せ、やはり偶然ひらいたページのひとかけらを写す。ハムレットと友のレアティーズが、試合用の「剣」をとりあうシーン。主人公が、友のレアティーズに向って、「ぼくは君の引立て役にすぎぬだろうな」(第五幕第二場)というセリフ。訳注によれば「引立て役」の原語は foil で、「剣 foil」と同音。「ハムレットの洒落の頓知は依然、光を失っていない。いや、そんなことより、この互いに互いの分身=鏡像でもあるかのような「兄弟」は、互いに互いの「引立て役」であると同時に、同じ「剣」によって互いに互いを滅ぼすという悲劇的アイロニーを感取すべきだろう」（訳注）という底深い洞察を肯いながら、西欧言語圏の「裏」に棲みなすウラシマタロウのようなただの読者は、任意にひらいたページが、大団円を予感させるなかなかに重要なくだりであることに驚く。しかし「誇張と過剰と華麗さ」をみせつける言葉の竜宮城から遠く離れたウラシマは、すぐに劇の筋とほとんど関わりのない一語の「裏」側にまわる。そこにひびくぼろぼろの糸くずのような言葉をかきあつめて裏地を織るのだ。

洒落の頓知が光り輝くハムレットの一語 foil が、極東のバルバロイの耳の回路では、前出の foul、そしてまた道化の fool と重なるとしたらどうだろう。―― Foul is foil, and foil is fool. というデタラメな呪文を、あくまで〈卜占的共感〉を込めてつぶやくとしたら何があらわれるだろう。

引立て役としての foul と fool ――そのダブルイメージを無理を承知で「妄想」する時、世界文学の、いや世界劇場の不世出のサーバント（召使）二人が舞台に姿をあらわすはずである。世界文学の理念を、文学理論としてではなく、あくまで創作実践の立場から提唱した巨匠ゲーテは、集大成論考「果てしなきシェイクスピア」において、「シェイクスピアは必然的に文学の歴史に属しているのだが、演劇の歴史においては、ただ偶然に彼は登場するに過ぎない」と大胆にも書いた。彼によれば、叙事詩、対話、戯曲、演劇はそれぞれ区別されうるものだが実際には混同されている。

「叙事詩には個々人による多数の人々に向けての口頭での伝承が求められ、対話は私的な会合における会話だが、多数の人々が場合によっては耳を傾けるかも知れない。戯曲は、想像力の前で展開されるに過ぎないとしても、筋の進行の中で交わされる会話である。演劇は観客の視覚を働かせ、場所と人物が現前しているというある種の条件下に、理解し得る限りで、これら三つを総合したものである」としたうえで、ゲーテは次のようにつづけている。

シェイクスピアの作品は、この意味で、最も戯曲的である。最も内的な生命を際立たせる手法によって、彼は読者を獲得する。演劇的な要請は彼にとって何の意味もないように見える。こうして彼は自由に振舞い、人は、精神的に、彼と共に自由になる。我々は彼と共に場所から場所へ飛び移り、我々の想像力は、彼が省略したその間の筋をすべて補う。その上、彼が我々の精神力を相応しいやり方で刺激してくれることを、我々は彼に感謝する。すべてを演劇形式で表現することによって、彼は想像力の働きを容易にしてくれるのである。というのも、我々にとっては、世界そのものよりも、「世界を意味する舞台」の方がよく分かるからであり、我々がこの上なく不思議なことを読み、聞くとしても、それが舞台の上でならば、我々の眼前で起こってもよいと思うからである。人気のある小説を舞台用に改作しても失敗するのはそのためである。

（高木昌史編訳『ゲーテと読む世界文学』［青土社］による）

「こうして彼は自由に振舞い、人は、精神的に、彼と共に自由になる」という簡潔な一行を、本稿のメインテーマに重ねてもゆるされるだろう。ただの読者は、これまで『ドン・キホーテ』を三回通読したが、その都度心底から湧き上った感慨を〈精神的に、『ドン・キホーテ』と共に自由になる〉と表現しうることを想い出さないわけにはいかない。

『ドン・キホーテ』という「人気のある小説を舞台用に改作しても失敗する……」と巨匠の口真似をするのはさし控えるとして、「最も内的な生命を際立たせる手法」に魅了される読者にとって、世界そのものよりも「世界を意味する舞台」の方がよく分かる、というくだりには、世界文学の濃密なアニマにつつまれたスペシャルな劇場における観客の「想像力の働き」に対する類まれな洞察が潜んでいる。

シェイクスピアは徹底した舞台人の生涯をつらぬき、セルバンテスは叙事詩、対話、戯曲、演劇すべてを総合する作品によって近代小説の元祖となった。ジャンルの違いは明白であるが、「想像力の働き」に身をゆだねて、何よりも自由になることをすすめる一点で共通する世界劇場のサーバントの姿に眼をこらさねばならない。

自身も大いなる演劇人であったゲーテは、前記論考の中で、こうも書いた。「シェイクスピアの手法全体には、本来の舞台には何かそぐわないものが見られる。（中略）舞台は彼の天才にとって相応しい空間ではなかったと言わなければならない。しかし、まさしくこの舞台の狭さが、彼には独自の制限の原因となっているのである。ここで彼は、他の詩人のように、個々の作品のために特別な素材は選ばずに、一つの概念を中心に据えて、これに世界と宇宙を関連づける」

ゲーテはさらに、当時の最新の研究に基づいて、シェイクスピア時代のイギリスの舞台の不完全さに言及したうえで、「現在ならば、誰がそのようなもので満足させられるだろうか。しかしそのような条件下でも、シェイクスピアの作品は最高に興味深いメルヘンであった。ほんの数人の人物によって物語られるのだが、彼らは印象をより強烈にするために、特徴的な装いを凝らし、必要に応じて、あちこちと動き回り、やって来ては、立ち去ったが、荒涼とした舞台の上で、天国や宮殿を想像することは、観客の思うままに任されていた」とつづける。「荒涼とした舞台」という一語に、また一つ本稿の鍵語が見つかった思いがする。

舞台装置や遠近法等々の面で、ゲーテの時代からみてさえ「幼稚な初期の段階」とされた当時の舞台に挺身したサーバントに、Foul is foil, and foil is fool. という呪文にとりつかれた現代のただの読者は、「不快な、いやな、むかつくような、汚れた、泥だらけの」ルネッサンスの現実を、「この上なく美しく、愉快で気のきいたもの」に変身させようとしたセルバンテスを重ねるのである。

サーバントと有縁と思われる姓をもつわれわれの作家——自ら「詩作よりも不幸に通じた男」といわしめた——セルバンテスは、やはり舞台人たらんと努め、戯曲作品を残したもののシェイクスピアのようにはなれなかった。しかし彼は、〝荒涼とした地方〟ラ・マンチャを舞台に、一人の道化を「中心に据えて、これに世界と宇宙を関連づける」ハナレワザをやってのけたのだ。

今、手元に、碩学アメリコ・カストロ著『セルバンテスへ向けて』（本田誠二訳、水声社）という じつに八三四頁に及ぶ浩瀚な翻訳書がある。

やはり師父の口真似をして、こういう大著を「労のみ多くて功少ない狂気の沙汰」といい放つことはできない私は、いつかはこの記念碑的大著を精読したいと願っている。今は、件の易占者の手つきではなく、目次を見渡してすぐ眼が吸い寄せられた第二部の一篇「『ドン・キホーテ』序文について」の冒頭部をひらき、そのひとくだりを引いておく。

後に偉大な芸術家となるべき人物は、塔にこもったモンテーニュや、思惟の密室に閉じこもったデカルトに、負けず劣らず英雄性を発揮して、自己のうちに沈潜したのである。たしかにセルバンテスがそうしたのは、哲学的な議論をするためではなく、当時流行していた文学や、文学を取り巻く社会に対して抱いていた考え方に形を与えるためであった。（中略）セルバンテスはもう一人の人形使いペドロ親方になり代わり、全存在を自らが創作した舞台の中に置ったのである。そうすることで同時に作者であり、役者であり、批判的観客であるような、計りしれない仕事をなそうと試みたのである。

「最も内的な生命を際立たせる手法」に酷似したものを、セルバンテスは自己への沈潜を通して身につけ、シェイクスピアとはまったく別次元の「舞台」を創りあげた。作者と訳者と批判的観客を一身に兼ねる世界劇場のサーバントになった。ゲーテのシェイクスピア評と碩学のセルバンテス評を、ある種のダブルイメージの中で融合させていえばそうなるだろう。

私は、世界文学と世界劇場のダブルイメージをめぐる文学理論上のことについて何も書かずに本稿を終えるつもりだが、〈シェイクスピアとセルバンテス〉をつなぐ最も「内的な」キャラクター、すなわち道化のダブルイメージについてのみ一言しておきたい。

世界劇場に仕えるサーバントは、極めつきの複合的な道化である。数多い道化の中でも特に印象が深い『リア王』のそれを瞥見したけれど、フィナーレ近くで、コーディーリアの遺体を示された老王のいう有名なセリフ――「そして哀れなやつは絞め殺されてしまった！　もう、もう、命はない！」の「やつ」の原語が fool である一事に注目しておきたい。なんと真実率直な娘をさえ道化と呼ぶこのセリフは古来、注釈者を悩ませてきたところだそうだ。岩波文庫版の補注に従えば、たしかに、「リアの狂った頭のなかで、コーディーリアと道化は二重映像（ダブルイメージ）と化している」。

再度、――Foul is foil, and foil is fool. とつぶやきながら、〈シェイクスピアとセルバンテス〉をダブルイメージでとらえる「裏地」作りふうの序を終る。本稿にちりばめたのが世界文学の

「権威者」たちの言葉であるのはたしかだが、それらが「自分の力で言える程度の」ものでないこと——は誓わなくても信じていただけるだろう。

〈冬の大三角〉座で正しく不安を学ぶ

没後十年を迎えて書かれた「フランツ・カフカ」（一九三四年成立）の中で、W・ベンヤミンは、「メールヒェンとは神話の暴力に対する勝利の伝承である。そして伝説に取り組むことでカフカは、弁証法家のためのメールヒェンを書いたのだ」と記した後、こんな一行を刻んでいる。

カフカは、怖がることを学びに世の中に出ていった、おとぎ話のあの若者に似ている。
（『ベンヤミン・コレクション2』ちくま学芸文庫）

このおとぎ話とは、『グリム童話』所収の「怖がることを学びに世の中に出ていったある若者の話」を指す。同じ一九三四年刊の『ブレヒトとの対話』によれば、ブレヒトは、ベンヤミンのカフカ論を「ニーチェ流儀の日記体文章」とよび、それがカフカを包む闇を切り裂くどころか、闇を一層濃密にし、拡大する、と語ったそうだ。本邦初訳の晶文社版『ベンヤミン著作集7』の巻末解説ではじめて知ったブレヒトのいう「日記体文章」なる一語は、長く記憶に残った。ブレヒトを愛読できなかった若年の当方にとって、かれが批判的にコトアゲしたであろう「日記体文章」こそは、学術的論考の類よりはるかに重要なテキストの条件をなすものだったと今にして思う。

さてしかし、実存と切り離せぬ創作活動としてのベンヤミン批評やカフカ文学の細部に迫るのは本稿の目的ではない。

冒頭に引いた一行から、私はたちまちこれより古い時代に書かれた「日記体文章」の化身ともいうべき次のような一節を思いおこした。

グリムの童話には、ぞっとする味を知りたいと思って冒険の旅に出てゆく若者の話がある。この冒険家が、その旅先でどんなおそろしい目に会ったかは、われわれにはどうでもいい。勝手にその旅をつづけさせておくとして、さて私はいいたい。ぞっとすること、不安になることを知るというのは、あらゆる人間が卒業しなければならない冒険だと。さもないと、かれはだめになってしまうからである。かつて不安をおぼえたことがないということによってだめになるか、もしくは不安に呑みこまれてしまって、だめになるからである。したがって、正しく不安になることを学んだものは、最高のものを学んだものである。

（『キルケゴール著作集10』白水社）

キルケゴールの——正確にはかれが操る偽名著者の代表的著作の一つ『不安の概念』のエピローグといっていい第五章「信仰によって救済するものとしての不安」の書き出し部分である。第一章の五「不安の概念」の項には、当方がやはり若年期以来反復ヨミをしてきてほとんどそらんじているこんなくだりもある。

「精神がすくなければすくないほど、不安はすくないのだ。こうした不安は本質的に子供たちに属しているので、かれらは不安のないことを欲しないのである。不安は子供たちを不安がらせても、しかも不安はその甘美な悩みをもってかれらを捉えるのである。子供らしさを、精神の夢みる状態として保存してきたすべての民族のもとに、こうした不安がある。その不安が深ければ深いほど、その民族は深い。こうしたものを分裂症だと考えるのは、散文的な愚昧にすぎない。不安ははるかに後の時点における憂鬱とおなじ意義をもっている。そうした後の時点では、自由はみずからの歴史の不完全な諸形態を通過して、言葉の最も深い意味で自己自身にいたりつくことになるのである」

少なくない公刊著作をはるかに上まわる分量の日誌を含む「パピーア」を遺したキルケゴールを、当方は特異な〈ノート作家〉の元祖とみなしてきた。その非商業系文業の志を受け継いだのがカフカであるが、今試みに英語の note を少しずらして、カフカが使用したドイツ語で、

Not 作家と表記すれば、当方好みの重層的なイメージが広がる。ドイツ語の Not はキルケゴールのデンマーク語で nød、英語で need を指す。この英語が「必要」を意味するのは広く知られているが、同時に「貧窮、困苦、難局、緊急事態」を孕むのはドイツ語、デンマーク語と同じだ。「心配、不安、心労」があるゆえに「保護、世話、介護」が必要になる含みの care と似ている。〈ノート作家〉とは、つまり、「苦難」に対処する「必要」のために著作活動を営む者のことである。

冒頭でふれた「フランツ・カフカ」が成立した際、ベンヤミンの念頭に『不安の概念』第五章の書き出し部分がどんなふうに反響（エコー）していたのかについての詮索は、キルケゴールの偽名著者ヴィギリウス・ハウフニエンシスの口真似をして「われわれにはどうでもいい」ことにさせてもらう。

〈ノート作家〉たちの「日記体文章」にはそれぞれ独自の魔法がかけられている印象だが、とりわけキルケゴールのそれは、天才カフカをさえ嘆かせる性質のものだった。その長くはない生涯において実存の危機に直面するたびキルケゴールを熟読したカフカは、〈八つ折判ノート〉の中で、名指しせず、しかし明らかにキルケゴールを念頭に、「彼の論証は、魔術と二人連れである」と書き、こんなふうにつづける。「ひとつの論証を避けて魔法の世界へ、ひとつの魔術を避けて論理へと乗り移ることができる。しかし両方同時だと窒息してしまう。同時だと三番目のものが、つまり生きた魔法、あるいは破壊的ではなく建設的な世界破壊が生じるから、なおさらである」（吉田仙太郎編訳『夢・アフォリズム・詩』平凡社ライブラリー）

さすがにベンヤミンをして「怖がることを学びに世の中に出ていった、おとぎ話のあの若者に似ている」といわしめた作家だと、われわれもカフカ同様のため息を共有しつつも、カフカならではのブリリアントな洞察に感銘を深くする。特に、「生きた魔法、あるいは破壊的ではなく建設的な世界破壊」という言い止めに——。

彼キルケゴールには「精神が多すぎる」とカフカはつづける——彼は自分の精神に乗っかって、魔法の馬車みたいに地上を駆けめぐる、道のないところでさえも。そして自分では、そこに道がないことに気づくことがない。そのため、後をついてきてくれと頼む彼の謙虚な願いも専制となり、「道の途上」にいるだけだという彼の誠実な信念も、傲慢となる……と。

にもかかわらず、作家は、隔絶した高さに輝く孤絶の星と自ら呼ぶ思想家のつむぐ「日記体文章」がいざなう「魔法の馬車」に乗り込んで、「道がないことに」気づいてもなお、後をついていった。何のために？　正しい不安という「最高のもの」を学ぶために、である。〈根底に向って没落する〉実存の〝落ちきり〟プロジェクトともいうべきこの「冒険の旅」をやめると、自分が「だめになってしまう」ことを絶望的な「困難（ノート）」に対処する「必要（ノート）」に迫られた〈ノート作家〉は本能的に知りぬいていた。

何度読んでも興趣尽きないベンヤミンの「フランツ・カフカ」はドイツ語原文なのでただの

読者であるわれわれには二重三重の壁が立ちはだかっている。それも「われわれにはどうでもいい」といい放つには壁が強固でありすぎると感じ、仕方なく平凡な方法、つまり別の翻訳にとりすがるやり方で、反復ヨミをつづける。

ただの読者には天才的な読者が体感しえた「生きた魔法」の力にあずかるのは不可能だとしても、それでも強固な壁が「破壊的ではなく建設的な世界破壊」に見舞われる事態を、「本質的に子供たちに属している」不安の効用を信じつつ夢見ずにはおれない。

ベンヤミンの「フランツ・カフカ」は、ありがたいことに岩波文庫版『ベンヤミンの仕事 2』にも収録されている。それによれば、「ユダヤ展望」誌のために書かれた全四章からなるこの論考のうち、一九三四年同誌に掲載されたのは第一章「ポチョムキン」と第三章「せむしのこびと」だけで、全篇が印刷されるのは一九五五年のことだという。ベンヤミン、カフカ、そしてキルケゴール——三者三様の非凡な文業が、ベンヤミンのいうコンステラツィオン（星座布置）の中にその孤独な姿をあらわにしたのは第二次大戦後であるが、やはりベンヤミンふうの表現をかりるなら、それらは二十世紀という夜を背景に浮かびあがった星座布置だった。大戦後、世界はかりそめの明るさにおおわれたものの、星は暗くなければみえない。

ブレヒトがベンヤミンの「日記体文章」をめぐって、カフカを包む闇を切り裂くどころか、闇を一層濃密にし、拡大すると語った言葉を裏返していえば、メールヒェンを真にわがものとするなら、闇がいっそう濃密となった世界で、正しく不安を学ぶ「必要（ノート）」がある。

ベンヤミン、カフカ、キルケゴールそれぞれの実存を襲った危機の内実は三者三様だろうけれど、かれらがひとしくメールヒェンに象徴される〈子供性〉のイデーに関心を寄せていた事実は共通している。カフカがノートでいう「真の認識の下をかいくぐり、子供のように立ち上がること」をめぐる「信仰」の内容は今一つよくわからないが、それがベンヤミンのいう「神話の暴力に対する勝利の伝承」としてのメールヒェンと深く関わるものであるのはたしかだろう。

若年時に、〈読者教〉という非在の宗教に入信した私は、長いこと、ある特定の書き手のテキストを選択したうえで、反復ヨミをつづけてきた。幻の宗教団体の会員は、友人の批評家の言葉をかりれば「単独者」ならぬドン・キホーテ的「耽読者」となるレッスンを重ねるより他にやることがない。不世出の批評家、作家、思想家三者三様のテキストの星座は、「耽読者」となるレッスンの歳月の中でひときわしるく浮き立つ——真冬の中天にできる凍てつく夜空にひときわ美しく透明な輝きをもってあらわれるあの「冬の大三角」のような存在である。卑小な実存の冬を生きぬくのに「必要」な、正しく不安を学ぶ方途を、この星座は謎のアウラの形で告知するのが常だった。

安易に闇を切り裂くのではなく、ひたすら闇を濃くするそのイデーは、平凡な読者を「異端」の世界へいざなった。急いでつけ加えねばならないが、この場合の「異端」(hérésie)とは、正統信仰・思想からはずれているという通常のイメージのものというより、その語源(hæresis)の「選択」の意味に近い。ひとたび絶対的に「選択」した以上、たとえ後をついていくための「道がないことに」気づいてもなお、逆説的な非在の道をゆく他ないのだ。

自分が選択した星座をよりよく見据えるため、現代からは想像できない時代の暗さを少しでも理解するのに役立つテキストを、ここでまた一つ召喚してみたい。「神話の暴力」が荒れ狂った二十世紀の思想と経験に対する貴重な証言として名高い非凡な政治哲学者ハンナ・アレントの『暗い時代の人々』(阿部齊訳、ちくま学芸文庫)の中の一篇「ヴァルター・ベンヤミン」がそれである。

正直に告白するが、私はアレントの理論的主著、たとえば畢生の仕事を絵にかいたような『全体主義の起原』の全体をいまだ精読しえておらず、せいぜい『人間の条件』を一度通読できたにすぎないやわな読者である。しかし私は、勝手に〈読者教〉教祖にまつりあげて久しい非凡な〈耽読者〉ボルヘスの口真似よろしく、これらの理論的大著よりも、『暗い時代の人々』一冊への愛惜が、読み返すたび深化するのを実感する、と言わずにはいられない。

不安と憂鬱の意義を、子供の成長に即して語るキルケゴール(の偽名著者)は、すでに引いた如く、「自由はみずからの歴史の不完全な諸形態を通過して、言葉の最も深い意味で自己自身にいたりつくことになる」と述べたが、カフカやベンヤミンが生きた時代の異常なまでの「自由」の欠損と世界の荒廃を目の当りにすることはなかったといっていい。今、にわかに思い出せないけれど、キルケゴールを「地獄状況を生きぬいた」思索者と呼んだのはベンヤミンだったか、それともカフカあるいは他の誰かだったろうか……。

アレントの著書に登場するのは、レッシング、ローザ・ルクセンブルク、ヤスパース、ヘルマン・ブロッホ、ベンヤミン、ブレヒトといった綺羅星群だが、いずれも位相の異なる「地獄状況」に対峙した普遍的人間というべきだろう。私は、この中でも特にベンヤミンに寄り添った一篇を選択し、反復ヨミ＝〈耽読〉の対象としてきた。

ベンヤミンの「フランツ・カフカ」の第三章「せむしの小人」が一九三四年に発表されたことにすでにふれたが、アレントの三章からなる「ヴァルター・ベンヤミン」の第一章のタイトルも同じ（ちくま学芸文庫版では「せむしの侏儒」）なのである。

当方が読みえたベンヤミン論の中でも洞察力と深度の面でとびぬけているばかりでなく、研究論文の類に見出すことが難しい冬の星空のような美しさを兼ね備えたアレントのこの一篇は、しかし、翻訳文庫で八十ページを超えるほどの分量のものであり、限られた紙幅で全体像を伝えるのは当方の手に余る。すでに明らかになっているように、老人の繰り言めいた反復ヨミのお題目と化して久しいいくつかの断片を引いてやりすごす他ないだろう。

そのお題目の一つ目はこうだ。

かれベンヤミンの「学識は偉大であったが、しかしかれは学者ではなかった。かれの論題には原典とその解釈に関するものが含まれていたが、言語学者ではなかった。かれは宗教ではなく神学に、また原典自身を神聖なものとみなす神学的な型の解釈に強くひきつけられていたが、神学者ではなかったし、またとくに聖書に関心を寄せてもいなかった。生まれながらの文章家であったが、一番やりたがっていたことは完全に引用文だけから成る作品を作ることであった」。

アレントのいう「否定的な叙述」は、まだつづく。ベンヤミンはプルーストやサン＝ジョン・ペルスを翻訳した最初のドイツ人であり、それ以前にボードレールの『パリ風景』を翻訳していたが、翻訳家ではなかった。書評を行い、数多くの作家論他のエッセイを書いたが、文芸評論家ではなかった。ドイツ・バロックに関する書物を著わし、また十九世紀フランスについての膨大な未完の研究を遺したが、文学史家でも、あるいは何か他の分野に関する歴史家でもなかった。詩的に思考していたが、しかし詩人でも哲学者でもなかった。……

こうした「否定的叙述」そのものにアレント的文体の面目躍如たる何かが隠れているとみなした私は、たとえば「一番やりたがっていたことは完全に引用文だけから成る作品を作ることであった」のような断定がいざなう逆説に、初読時以来、強く心ひかれてやまなかった。

わが〈読者教〉教祖ボルヘスは、かつて『詩という仕事について』（岩波文庫）の中で、あの読みの狂愚者をめぐり――実は私は、ドン・キホーテの冒険をあまり信じておりません、誇張が度を越していると考えるからです、といったん語り、すぐにこうつけ加えたことがある。

――しかし、こういうことは実はどうでもよろしい。本当に大事なことは、私がドン・キホーテの存在そのものを信じているという事実です。……こういうことは絶対に起こらない、と誰かに言われても、私はあくまでドン・キホーテを信じ続けるでしょう。友人の性格を信じるのと同じことです。

私もまた、アレントのやや極端な物云いや、それがあぶり出したベンヤミンの逆説めいたドン・キホーテ的冒険を、いったんは「誇張が度を越している」と考えたものの、すぐにそんなことはどうでもよくなり、――カフカのキルケゴール評にいう「生きた魔法」にまつわるベンヤミンの見果てぬ夢の仕事を「信じている」と感じるに至った。

それを信じるのに役立ったのが、ベンヤミンの「フランツ・カフカ」で言及され、アレントが敷衍してみせたドイツ民謡・歌謡集として有名な――『グリム童話集』の一つの重要なモデルとされる『少年の魔法の角笛』に出てくるメールヒェンの人物「せむしの侏儒」である。正直にいうと、ベンヤミン自身の文では今一つ把捉しえないでいたが、アレントのチャーミングな肉薄によって、幼い頃からベンヤミンを「おびやかし、死ぬまでついて離れなかった」ほどつきあいの古い小さな魔物の正体が鮮やかに浮かび上ったのだった。

弁証法家のためのメールヒェンの一つといっていい中篇の動物寓話「ある犬の探究」で、カフカは話者の老犬に次のようなことを語らせる。

静かであたりまえで幸福な毎日の生活というものに、ひと目でもいい、最後にはきっとお目にかかってみせる、というただそれだけの気持で、絶え間なく探究を続け解決をもとめた事柄に、ひたすら打ちこんでいた。そうしたあのころとちょうど同じように、ただし方法はあの当時ほど子供らしい方法ではなかったが――これはしかし取りたてて言うほどのちがいではない――、それからあともわたしは研究を続け、今日もやはり研究をやめてはいない。

「ある犬の探究」の犬がどんな目にあったかは、われわれにはどうでもいい、勝手にその語りをつづけさせておくとして、さて私はいいたい……と又してもキルケゴールの偽名著者の口吻がうつってしまう。

私は親愛なるカフカの犬の冒険を実はあまり信じておりません……しかしそれはどうでもよろしい。大事なのは、語りの内容＝「何を」というより、「いかに」であり、その語り方自体を信じているという事実です……と、今度は〈読者教〉教祖の口調がのりうつってしまう始末である。

カフカが描いた「ある犬」も、前生が猿だった者の「あるアカデミーへの報告」も、「歌姫ヨゼフィーネ、あるいは二十日鼠族」や、「巣穴」の話者も、正しく不安を学ぶことを実存の最高の目的としている点で共通する。

ハンナ・アレントのベンヤミン頌に、カフカの「ある犬」のことがとりあげられているわけではないが、アレントが言及したドイツ民謡『少年の魔法の角笛』のくだりを読みかえすたび、どうしてか当方の脳裡によみがえってくる。ベンヤミンのカフカ頌中の「せむしの小人」には、「この小人は歪められた生の住人」で、暴力によって世界を変えてしまおうとはせず、ただほんのすこしだけ世界を正す救世主＝メシアが到来したときはじめて小人も消えていくだろう、と謎めいたことが記される。

メールヒェンというドイツ語のメールは、語源をさぐるまでもなく郵便・知らせの意のメールで、ヒェンは愛称の接尾辞だから語源的逐語訳（？）に従えば、親愛なる郵便、チャーミングなお知らせ、となる。あの難解な「翻訳者の使命」でベンヤミンが言揚げした逐語訳談義はさておき、メシア到来時に小人も消えるというベンヤミンの託宣ふうの言草を、弁証法家のためのメールヒェンを書いた〈ノート作家〉にホンヤクしてもらうべく、思い出す。

やはり〈八つ折判ノート〉にこうある。

――救世主はやってくるだろう。もはや必要なくなったときに。到来の日より一日遅れでやってくる。最後の日ではなく、いまわのきわにやってくる。

白水社版『カフカ・コレクション　ノート2』（池内紀訳）に拠ったものだ。訳の良しあしをとやかくいえる立場にないので、例によって既出の吉田仙太郎訳平凡社ライブラリー版をめくると、当方の気にかかった謎の最終行は、「最後の日にではなく、ぎりぎりのいちばん最後の日にやって来るだろう」となっている。

誇張がすぎるという感想はあたらないとしても、単なる最後の日ではないいまわのきわ、ぎりぎりのいちばん最後の日とはいったい何のことなのかと頭を抱えたまま、ドイツ語原文にドン・キホーテが風車にした如く体当たりしてみたこともあるが、門前の小僧が習わぬ経を読めるはずもない。

仕方なく、「ある犬」の語りにもどる——静かであたりまえで幸福な毎日の生活というものに、ひと目でもいい、最後にはきっとお目にかかってみせる……という科白のところに……。

かれはつづけて語る。かれがのめりこんだ研究・学問は、何度もぼろぼろと欠け落ち、そのたびごとに苦心して修復せねばならなかった、と。

これをすかさずベンヤミンの「せむしの小人」にある一行でホンヤクすれば、かれカフカは、ギリシア神話中のコリントスの王「シシュフォスが岩を転がすよう」な営みに従事する、となる。ゼウスの罰を受け地獄で岩を押し上げるが、岩はつねにもう一息のところで転がり落ちるというこのエピソードの中に「神話の暴力」をみてとるのは容易であろう。

正しく不安を学ぶ実存の営みを「選択」した者は、つねにもう一息のところで、「ぼろぼろと欠け落ち」るものをつきつけられるが、にもかかわらずかれはもう一息を反復する。もう一息のところでだめになったそれは「最後の日」の出来事だ。メシアに「ひと目でもいい、最後にはきっとお目にかかってみせる」という犬の信心の科白にいう「最後」も、「ぎりぎりのいちばん最後の日」をイメージしているにちがいない。

私はつい先頃、「ある犬」の語りのフィナーレ部分——「現在行われているのとはちょっとべつな学問のために、すなわち、ぎりぎりいっぱいいちばんおしまいの学問のために、自由をほかのあらゆるものにもまして高くわたしに評価させたのは、本能であったのだ」という一節にクギ付けになった。ドイツ語が読めないにもかかわらず、原典をめくり、allerletzten なる一語が、「ぎりぎりいっぱい、いちばんおしまいの」と訳されたものだろうとあたりをつけた。前記の〈八つ折判ノート〉の「最後の日ではなく、ぎりぎりのいちばん最後の日」という表現にも、おそらくこの語が用いられているにちがいない、と。

ベンヤミンのカフカ頌の中の簡潔な一行がまたよみがえる。

——カフカの世界は一つの世界劇場である。

世界劇場とは何か？　その正体を通常の学問・研究の対象としてつきつめるのも読者教の一信者の手に余る。「何度もぼろぼろと欠け落ち、そのたびごとに苦心して修復せねばならぬ」と「ある犬」が語った通り、世界文学史に間歇泉のような仕方であらわれる幻の劇場をめぐる「途方もない領域は、個々の学者の把握力のみならず、全部の学者の把握力を総動員してもつかむことはできない」と思われるので、「あえて触れないことにしたい」と口真似したままでもよいのだけれど、一つだけ単純な確認をしておけば、その劇場は、現実上のいかなる舞台とも次元を異にする根源的に〈詩的な〉存在であるということだ。偏愛する詩人エズラ・パウンドの『詩学入門』（沢崎順之助訳、冨山房百科文庫）の一節をかりると、こうなる。「演劇を表現の一手段として深く考えるならば、詩の媒体が**ことば**であるのに対して、演劇の媒体は、舞台のうえを動きまわってことばを使う人間そのものであることに気づくだろう。（中略）この問題について冷静かつ周到な関心を払ってきた人ならば、ごくわずかな瞬間を除いては、舞台のうえで、ことばの意味の最高度の充電など果しえないことを充分納得しているはずだ」

ベンヤミンの「フランツ・カフカ」と同年（一九三四）に刊行されたパウンドの『詩学入門』は、実現化しなかった見果てぬ夢の芸術大学（文学コース）のために書かれた〈いかに読むか〉をめぐるカリキュラム案で、原著タイトルは、ABC of Reading ――読者教信者にとってキワメツキのヨミの〝教科書〟にふさわしい。

パウンドのいう「ことばの意味の最高度の充電」をもたらす世界劇場の不可視のステージに姿をみせる異形の妖精に再度眼をこらす。

ベンヤミンのカフカ頌の第三章「せむしの小人」に引用されるドイツ民謡『少年の魔法の角笛』のひとくさりは、

「私が私のお部屋に行って／私のベッドを作ろうとすると／せむしの小人がそばに立って／とめどもなしに笑い出す」

であるが、ベンヤミンはこれについて、「たとえば落ち葉のなかでかさこそ音がするような響き」というカフカの超短篇「父の気がかり」中のオドラデクのイメージを重ね、小人のそれがオドラデクの笑いだと解説する。

ベンヤミンが引いた民謡の終わりは、こうだ。「私が私のお祈り台に膝ついて／ほんのちょっぴり祈ろうとすると／せむしの小人がそばに立って／とめどもなしに喋り出す／かわいい子供よお願いだから／せむしの小人にも祈っておくれ！」

一方、アレントのベンヤミン頌の「せむしの侏儒」に引かれる同民謡のひとくさりは、こうである。

「ぶどう酒を取り出そうと／地下の穴蔵に降りて行くと、／そこにはせむしの侏儒がいて／ぼくからジョッキをひったくった」

「スープを作ろうと／台所に入って行くと、／そこにはせむしの侏儒がいて／ぼくの小さなポットがこわれていた」

この侏儒とベンヤミンとのつきあいは古く、まだこどもの時分こどもの本のなかでこの詩をみつけた、とアレントはいい、「幼ないころからかれをおびやかし、死ぬまでついて離れなかったもの」の正体を浮きぼりにする。ベンヤミンの母親が、ドイツの他の母親たちと同様に、幼児にありがちな無数の失敗が起こったときに、いつでも「しくじりやさんがよろしくって」と言ったものだというエピソードにふれながら、アレントはこう書いている。

だれかがころぶ時には、「せむしの侏儒」が足をかけたのであり、何かが手から落ちてこなごなになる時には、かれがそれをたたき落としたのである。こどもがおとなになると、こどもがまだ知らなかったこと、すなわち、「侏儒」をみつめることによって——あたかも恐怖の何たるかを学びたいと願う少年のように——「侏儒」を怒らせたのは自分ではなかったということ、むしろせむしの侏儒が自分をみつめていたのであり、しくじりはひとつの不運であったことを知るようになる。「侏儒がみつめていた人間は何も気づいていない。自分のことにも、侏儒のことにも気づいていないのだ。気づいてみると、驚いたことにこなごなになったかけらの山の前に立っているのである」（ベンヤミン『著作集』第一巻）。

「あたかも恐怖の何たるかを学びたいと願う少年のように」という比喩は、われわれが冒頭から注視するグリムの若者のエピソードに重なるものだろう。

私が本稿で見入っている――根源的な詩的言語によって演じられる世界文学のステージを、ここでは試みに〈冬の大三角〉劇場と命名したうえで、以前に刊行した拙著『キルケゴールとアンデルセン』（講談社）を想いおこす。キルケゴールの生涯を呪縛した〈大地震〉と名づけられた実存の災厄の中味（「何を」）についてかれ自身は死ぬまで沈黙を守ったので不明のままであるが、不安と憂鬱の気分（「いかに」）を象徴的に語る歌のかけらこそ、ドイツの伝承歌謡集『少年の魔法の角笛』中のひとくさりなのだった。

それは集中第一巻「くり色の魔女」からの次のようなものだ。

「ひとりの狩人が心地よさそうに自分の角笛を吹いていた／心地よさそうに自分の角笛を／するとかれが吹いていたすべてのものが消え失せてしまった――」

キルケゴールとアンデルセンは若き日、同じ文学サークルのメンバーであった。実存思想の祖と童話の王様にのぼりつめた作家との一瞬の交わりに私は興味関心をつのらせ、黒い白鳥座と名づけもした星座を眺めつづけた。何よりもおどろいたのは、キルケゴールが初めて書いた本が、世界最初のアンデルセン論だったことだ。ここにその邂逅の謎を再説しはしないけれど、キルケゴールはアンデルセンとの交わりがあった一八三七年の春頃の日誌に、――しかり、まさにこの通りだ。私の身辺に起る一切のことが、この『少年の魔法の角笛』に歌われた通りの仕方で進んでいる……と書いたばかりでなく、ひとりの狩人が角笛を愉しげに吹いていたのに、突然、歌のすべてが消失してしまった……というこのひとくさりは、世界最初のアンデルセン論『今なお生ける者の手記より』の「まえがき」にも挿入されているのである。

〈大地震〉前後とおぼしき同時期のキルケゴール日誌には「冬の寒さが窓ガラスの上に氷の模様をつくる」（一八三五年九月十四日）「冬の寒さの幻想が魔法の如くに氷の花を咲かせてゆく」（一八三六年一月）「私の心の中に咲く花はことごとく氷の花となってゆく」（一八三七年）という三つの断片が見出される。他の場所にあるソロモンについての記述「冬の霜が、発芽しつつある行為の若芽をへし折ったため、かれは決して力を回復しなかった」と密接な関連をもつこの断片が、〈大地震〉を解き明かすキーとする説もあるようだが、深入りする必要はあるまい。

〈ノート座〉といいかえてもいい〈冬の大三角〉劇場で正しく不安を学ぶ、という当方のモチーフにとって、何より重要なのは、「魔術と二人連れ」の思想家のイデーの中核にカフカのいう「破壊的ではなく建設的な世界破壊」を見据えることである。

われわれが先年に遭遇した千年に一度ともいわれる大震災は、キルケゴールの実存史に特記される〈大地震〉とはまるで位相を異にする。それを承知のうえでステージ上で演じられる「建設的な世界破壊」のドラマを見据えたいと願う。

アレントが「あたかも恐怖の何たるかを学びたいと願う少年のように」という比喩と共に寄り添ったベンヤミンの宿命的な「不運」につきまとう妖精と、ベンヤミンがカフカにみてとった神話の暴力の化身「シシュフォス」の両方に共通する「しくじりやさん」……私はこの「しくじりやさん」と、以前にキルケゴールの暴力的な中絶・挫折体験に関わる魔法の小人を「ごはさんやさん」と名づけたモノとを、〈冬の大三角〉劇場の主役とみなしたいのである。

ベンヤミンが一番やりたがっていた引用の仕事がどんなものかここで追求しようとは思わない。私は、これまで幾度もそうしてきたように冬を生き抜く「必要(ノート)」のために、件の世界劇場の観客として闇の中にいたい。

次に掲げる本稿最後の〝引用の織物〟も、「正しく不安を学ぶ」ために私自身、〈ノート〉状の衣服として身心にまとったものである。

ベンヤミンが親友ショーレムにあてた書簡でカフカの「作品を理解することには、他のいろいろなことととともに、かれが失敗者であったことを素朴に承認することが含まれている」という言葉について、アレントは「ベンヤミンが特異な素質を持ったカフカについて語ったことは、そのままかれ自身にもあてはまるであろう」といい、ベンヤミンが引いたゲーテの言葉を孫引きする。

「希望は、空から降る星のように、人々の頭上を通り過ぎていく」

そのベンヤミンのゲーテ論の次のような「結びの文章」を、アレントは「カフカが書いたかのごとく思わせるものであった」とつけ加えるが、テキストを「苦悩(ノート)」につけるクスリとみなす「必要(ノート)」に迫られて〃みぞおちで読む〃練習に余念のないわれわれ読者教信者の眼には、キルケゴールが書いたかのような文にもうつるのだ。

希望なき人々のためにのみ、われわれには希望が与えられている。

初出一覧

Ⅰ

〈読者教〉信者のひとりごと――序に代えて（「法政文芸」第13号／二〇一七年）

天のように母のように――ある著作のための序（「ノート」から）

ピエール・メナールとその先駆者たち（「現代詩手帖」二〇一八年十月号）

〈混在郷〉にて（「現代詩手帖」二〇一八年十一月号）

ガレキの山に埋もれたる歴史あること（「現代詩手帖」二〇一九年一月号）

極詩的言語学入門（「現代詩手帖」二〇一九年二月号）

打出の小槌考（「現代詩手帖」二〇一九年三月号）

道化としてなら生きられる（「現代詩手帖」二〇一九年四月号）

Ⅱ

此情可待成追憶――粕谷栄市頌（「現代詩手帖」二〇一七年三月号）

〈帽子病〉の四十年――粕谷栄市ノート（「てんでんこ」第10号／二〇一八年）

Ⅲ

目的地と道（「草獅子」vol.1／二〇一六年十一月）

ほんたうにおれが見えるのか（「しししし」vol.1／二〇一七年十二月）

世界劇場のサーバント――〈シェイクスピアとセルバンテス〉のための序（「三田文学」二〇一六年秋季号）

〈冬の大三角〉座で正しく不安を学ぶ（『ららほら』二〇一九年四月）

あとがき

私は四十年来の易学独習者である。易はむやみに立てるべきでないというおしえを忠実に守りながらまじめな練習生をつづけている。

近年、あまりにひどい災禍が集中しておし寄せ、ついには病牀六尺状態に陥るということがあり、ほんとうに久しぶりに精進潔斎の後、〈卦〉を立てるに及んだ。

「易に通じたる者は占わず」の至言を信奉する当方にとって、神意を伺うといっても占いの類からは遠く、『荘子』人間世（じんかんせい）篇に、いやしくも自分自身が今どういう状態なのかわからなければ、おのれの最終的な姿もわからない（これはたしか易の編撰にも関わったとされる孔子のセリフだったと記憶する）……といったものに近いだろう。

姿をあらわしたのは次のような〈卦〉であった。

无妄（むぼう）

頭上にふってきたこの漢語を音読して私は瞬間的に「無謀」ナコトヤリスギタ者ノ身ノトガのような連想を紡いだ。もちろんこれは的外れで、種々の解説本には、「无」は「無」、「妄」は「誠」の反対、いつわりで、「无妄」すなわちいつわりなきこと、自然のままの真実至誠なることをいう、とある。

わが『史記列伝』中の文例では、この「无妄」が「无望」となっており、予期せぬ出来事を指す。

私はこの「無望」なる語を見た瞬間も、「望みが無い」ネガティブ一辺倒の意にうけ取ってしまったが、同列伝（春申君列伝）を読むと、「世の中には無望の幸い、また無望の禍いがある」、あるいは「禍福常ない無望の世」などとあり、無望は、「望外の、予期せぬ、思いがけない」意の言葉として用いられていることがわかる。

つまりこの語は、幸いと禍とどちらにも冠せられうるのである。

＊

「無望の疾」に翻弄されていた頃、本をつくっていただけるという望外の話が舞い込んだ。キルケゴールの『序文ばかり』やボルヘスの『序文つき序文集』の系譜に連なることを念じて

〈全篇皆序文〉ふうの凡愚版を編んでかのリヒテンベルクよろしく〈忘却陛下〉に奉納するという見果てぬ夢が実現することになったのである。『史記列伝』的無望の含意をかみしめて、易神の深慮にあらためて合掌した次第だった。

お礼を申しのべねばならぬ人は少なくないが、詩の門外漢に、本書の中核をなす論考「詩記列伝序説」の「現代詩手帖」での連載を許可された編集長の藤井一乃さん、その連載の各回、ていねいな感想を寄せて何かと励ましてくれた久保希梨子さんのお二方の親切は忘れがたい。

本書は、同時刊行の『多和田葉子ノート』の姉妹篇として構想、執筆されたが、その構想を現実のものにするために尽力された双子のライオン堂社主の竹田信弥氏、造本アーティストの髙林昭太氏の両氏に深く感謝申し上げたい。

二〇二〇年三月のために

室井光広

室井光広　むろい・みつひろ

一九五五年一月、福島県南会津生まれ。早稲田大学政治経済学部中退、慶應義塾大学文学部哲学科卒業。一九八八年、ボルヘス論「零の力」で群像新人文学賞受賞。著書に『猫又拾遺』(一九九四年、立風書房)、『おどるでく』(一九九四年、第一一一回芥川賞受賞)、『あとは野となれ』(一九九七年、ともに講談社)、『そして考』(一九九四年、文藝春秋)。文芸評論に『零の力』(一九九六年)、『キルケゴールとアンデルセン』(二〇〇〇年、ともに講談社)、『カフカ入門――世界文学依存症』(二〇〇七年)、『ドン・キホーテ讃歌――世界文学練習帖』(二〇〇八年、ともに東海大学出版会)、『プルースト逍遥――世界文学シュンポシオン』(二〇〇九年、五柳書院)、『柳田国男の話』(二〇一四年、東海教育研究所)、『わらしべ集』(全二冊、二〇一六年、深夜叢書社)。エッセー集に『縄文の記憶』(一九九六年、紀伊國屋書店)。訳書にシェイマス・ヒーニー『プリオキュペイションズ――散文選集1968–1978』(佐藤亨と共訳、国文社)などがある。二〇一二年、文芸雑誌「てんでんこ」を創刊し第12号まで刊行。二〇一九年九月、急逝。享年六十四。

詩記列伝序説

二〇二〇年三月二十三日　初版発行

著　者　室井光広
発行者　竹田信弥
発行所　双子のライオン堂　出版部
郵便番号一〇七―〇〇五二
東京都港区赤坂六―五―二一―一〇一
shishishishi@liondo.jp
http://shishishishi@liondo.jp

印刷・製本　株式会社シナノ

ISBN978-4-910144-01-6 C0095
落丁・乱丁本は送料小社負担でお取り替えいたします。